# 四川之旅

SICHUANZHILU

广东旅游出版社

伍诚 黄昕 编著

**图书在版编目(CIP)数据**

四川之旅/伍诚 黄昕编著.－广州：广东旅游出版社，2000，6
(中国之旅热线丛书)
ISBN7-80653-091-6
Ⅰ.四… Ⅱ.①伍… ②黄… Ⅲ.旅游指南－四川
Ⅳ.K928.971
中国版本图书馆CIP数据核字(2000)第11458号

责任编辑：武旭峰
版面设计：流 野
封面设计：流 野
责任技编：刘振华

摄影：杨 澄 梁 坚 冯学敏 刘诗东
孟毅成 黎 朗 高屯子 赵兴元等

本书部分图片资料，由青城山管理局、松藩县旅游局、宜宾市旅游局、蜀南竹海风景名胜管理局以及成都中国青年旅行社陈平先生等提供，特此致谢。

**广东旅游出版社出版发行**
(广州市中山一路30号之一 邮编：510600)
韶关市粤北印刷厂印刷
(广东省韶关市五里亭)
850×1168毫米 32开 4.25印张 110千字
2000年6月第1版 2000年6月第1次印刷
印数：1-12000册
定价：25.50元

# 目　录

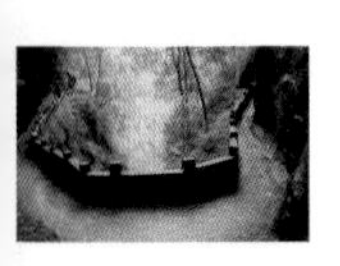

三星堆出土文物
——金面人头像

# 纵游天府

冯学敏

在中国旅游，如果不到四川那将是一种遗憾，好比选美，只看到华丽的外衣，没有看到泳装。

四川地处中国西南部，紧靠中国大版图的腹心，是个直径千里的盆地，四周是大山，中间是平原，恰如青藏高原老儒人脚下的一个洗脸盆。

商朝以前，四川称"蜀"，见证于中国最早的文字甲骨文。"蜀"字是象形文，是一条蚕，后来才有"巴"字，巴蜀即指四川。到了战国时期便有了"沃野千里"、"水旱从人，不知饥馑"、"天府之国"的美誉之词。就是说四川这地方，物产丰富，四季如春，冬无严寒，夏无酷暑，按老百姓的说法，撒一把炒胡豆都会发芽，可见其富饶、美丽。

"锦江春色来天地"，杜甫讴歌成都的美丽是天造地设。成都是四川的省会，简称蓉，别称锦城、芙蓉城，是国家历史文化名城，南方丝绸之路的起点城。总人口1100多万，其中市区人口200多万。成渝、宝成、成昆铁路沟通全国，双流国际机场联通世界。名特产品以蜀锦、蜀绣、金银首饰、瓷胎竹编、漆器、名小吃、茶馆等闻名，历史悠久。成都由建国前的消费城市至今巨变成为工农商发达的生产大城市。现在止朝着"园林化""高科技"大城市方向阔步前进。成都市区内的名胜古迹众多，有武侯祠、杜甫草堂、望江楼公园、都江堰、青城山、文殊院、昭觉寺、王建墓、宝光寺、西岭雪山、九峰山、朝阳湖、九龙

诺尔盖草原风光

成都周边旅游区交通

新都宝光寺
距成都：18公里
乘车点：火车北站广场

升庵祠与桂湖
距成都：18公里
乘车点：城北客运中心

青城山、都江堰
距成都：55-70公里
乘车点：成都汽车站、城北客运中心、西门车站

三岔湖
距成都：73公里
乘车点：成都汽车站

大邑刘氏庄园
距成都：68公里
乘车点：成都汽车站

乐山五通桥
距成都：194公里
乘车点：成都汽车站

沙湾郭沫若故居
距成都：204公里
乘车点：成都汽车站

彭州九峰山
距成都：103公里
乘车点：城北客运中心

峨眉山报国寺
距成都：169公里
乘车点：城北客运中心

崇州九龙沟
距成都：70公里
乘车点：城北客运中心

青城后山
距成都：90公里
乘车点：西门汽车站

三星堆出土的青铜带冠纵目面具

沟、天台山等。成都还是通往《世界自然遗产名录》九寨沟、黄龙寺、峨眉山、乐山大佛寺的必经之地，也是通往神秘的拉萨、卧龙大熊猫自然保护区的必由之路。

一方水土养一方人，成都的姑娘最靓丽，一白二嫩，说话像唱歌一般动听，难怪那些浑身长毛的老外总爱跑到成都来相亲。

“江山有巴蜀”。

四川的人口是全国之最，中国的人口是世界之最。四川的风景名胜之多，在全国也名列前茅。

晒玉米

历代的名人骚客对四川境内的风景名胜常用一句话来概括，即“峨眉天下秀，青城天下幽，剑门天下险，九寨天下奇。”这“秀”、“幽”、“险”、“奇”凝结了四川风景名胜的精华。在四川境内，世界级自然遗产就有4处，即九寨沟（南坪县），黄龙寺（松潘县），峨眉山，乐山大佛。目前正在紧锣密鼓申报世界自然遗产的有都江堰，青城山。这是一位后起之秀，颇具影响力，希望很大。国家级风景名胜有9处，除前述4处外还有剑门蜀道，贡嘎山，蜀南竹海，西岭雪山，四姑娘山。省级风景名胜有25处，即九峰山（彭州市），朝阳湖（蒲江县），天台山（邛崃县），九龙沟（崇州市），自流井，恐龙遗址（自贡市），白云山、重龙山（资中县），玉蟾山（泸县），石海洞乡（兴文县），白龙湖（青川县），鼓城山、七里峡（旺苍县），光雾山（南江县），诺水河（通江县），云台山（三台县），莹华山（什邡县），蒙山（雅安市），真佛山（达州市），百里峡（宣汉县），仙女山（彭山县），华山（华莹市），缧髻山、邛海（凉山州），卡龙沟（黑水县），罗浮山、白水湖（安县），黑龙潭（仁寿县），马湖（雷波县），泸沽湖（盐源县）。地、市、县级风景名胜就更多了，成百上千。如果再加上文物古迹，

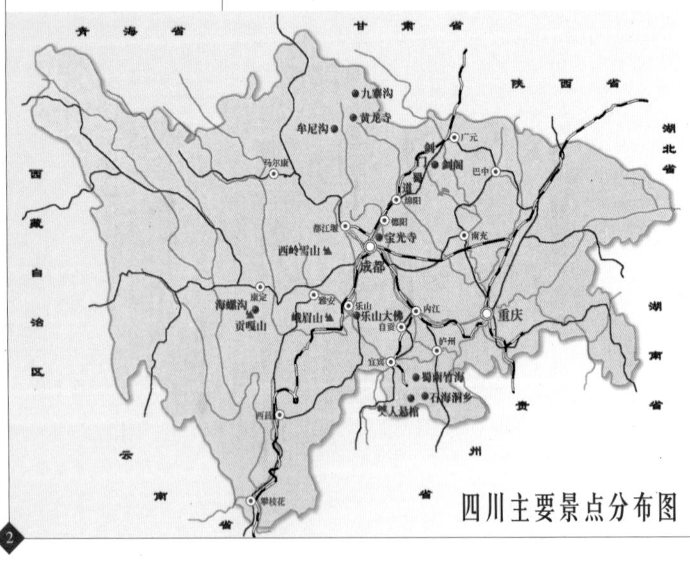

四川主要景点分布图

九寨风光

成都汉昭烈庙

四川境内，可以说五里一风景，十里一文物，遍地是旅游风光宝石，让人目不暇顾。

如此众多的风光宝石，让我们进一步来了解一些它的特点：

九寨沟和黄龙寺景区，主要是自然景观。九寨沟的山、林、湖、瀑中以水最美，那是世界上无污染的水源了。“水在林中流，树在水中长“，水色艳丽，一步一色彩。黄龙寺是层层梯湖直上云霄，那梯湖的田坎是碳酸钙经过千百万年自然凝成的，为世界第一奇观。

天下名山峨嵋山

峨眉山、乐山大佛景区，是自然景观和人文景观相结合。峨眉山号称“植物博物园”，“佛教名山”。乐山大佛，造于唐代，通高90多米，是世界上最高的佛像。

都江堰是水利工程，于2500多年前由“蜀守”李冰父子所造。该工程的特点是自流灌溉，省工宏效，逾数千年而不灭。如今灌溉川西平原1003万多亩良田，是世界上历史最久的伟大工程。青城山是中国道教发祥地，“第五洞天”，道观隐秘于古树密林之中，环境清幽，空气特别新鲜，是避暑胜地。

剑门蜀道景区，主要是三国历史和军事人文景观。有筹笔驿、诸葛亮北伐匿兵处；有古栈道；有女皇武则天的祀庙皇泽寺；有千佛崖；有剑门关，历代兵家必争之地；有蒋琬墓；富乐山。这些均在宝成铁路线上，从广元市到绵阳市一段。

贡嘎山称“蜀山之父”，四姑娘山称“蜀山之母”，还有西岭雪山，都是登山运动的旅游热线。

此外，民

乐山麻浩崖墓纪念馆

族旅游最具魅力的要数泸沽湖了，那里称为“母系社会的活化石”。那里住着摩梭人，女性当家，号称“女儿国”，实行着千百年不变的“阿肖”走婚制，完全的自由婚姻。

“蜀中多才子”，史书和民间早有此说。地灵之处必有人杰。古代四川出现过开一代诗风的奇才陈子昂（射洪县），“中国历史上唯一的女皇帝”武则天（广元市），大诗人李白（江油市），苏轼（眉山县），杨升庵（新都县）等，至于近现代出现的杰出人物那就更多了，不必细说。

酒乡风貌

古蜀王望帝陵近景

在煞笔之前，我想为读者推出一个篮球大的巨无霸文物风光绿宝石——三星堆（广汉市）。三星堆由成都北去仅40公里，80年代晚期才被发现，出土了大量的玉器、金器、青铜人头像，其形制独特，举世无双，曾经震惊世界，后来鲜为人知。她是一个“古城、古国、古文明”遗址，是中国史前文明的一个灿烂的时代。她与古埃及金字塔，古希腊，古罗马，两河流域，古印度媲美，几乎是人类文明同一季节盛开的鲜花。三星堆改写了中国历史，把中华民族5000年文明史推向了6000多年，把中华文明发祥地在黄河的独家中心说，改写成长江上游同时并存一个蜀文明中心。她的末代王国，即鱼凫女王时代，距今大约3300——4000年。而今这里建成了全国一流的“三星堆博物馆”。省委、省府高度重视，有关方面集巨资准备再现这个远古文明，作为全省旅游景观的牵头项目，集人类学，社会学，工艺学，美学，民俗学于一体，让各种层次的游人乐于驻脚，这是颇具眼光的大举措。

现在的三星堆游人络绎不绝，未来的三星堆将会让时光倒流，让游人听到远古的呼唤，尝到远古的风味，进入一个梦幻的、神秘而又现实的世界。

应广东旅游出版社武旭峰同志之邀，写了这点文字，概述了四川的旅游景区，虽有“菜单”之嫌，但也提供了点新鲜味，聊以自慰。《四川之旅》这本书即将问世了，但愿通过本书牵线搭桥，满足广大读者旅游或卧游的愿望，那我就和大家一起众慰同乐了。

三星堆博物馆

# 锦城天下景

## 成都概览

四川省会成都，位于四川省中部，川西平原腹地，东界龙泉山脉，南临云贵高原，西靠邛崃山，北依秦岭山脉，辖区总面积1.26万平方公里，人口1100多万，是我国西南地区最大的现代化城市。

成都平均海拔500米，具有典型的盆地气候特征。在亚热带季风气候作用下，这里春早、夏热、秋凉、冬暖，年平均气温16℃，年降雨量1000毫米左右。成都气候有两个显著特点：一是多云雾，日照时间短；二是空气潮湿。因此，夏天虽然气温不高，却显得闷热；冬天平均气温虽在5℃以上，但阴天多，空气潮，却显得很阴冷。成都的雨水集中在7、8两个月，冬春两季干旱少雨，极少冰雪。每年3至6月、9至11月是来成都旅游的最佳季节。

成都是中国西南地区最大的陆路和空中交通枢纽，交通四通八达，极为便利。以

成都市区景点分布图

### 对外交通

**航空**

中国民航售票处

地址：成都市人民南路二段15号

电话：2223038

四川省航空公司售票处

地址：成都市人民东路

电话：6678541

上海航空公司售票处

地址：成都市人民南路三段6号

电话：5540195

成都火车站为起点的成渝、宝成、成昆、成达等多条铁路线分别通往重庆、贵州、云南、甘肃、陕西、河南、湖北等省市；川藏、川滇、川陕、川青、成渝等公路干线通往西南、西北各省；省内公路发达，有多条干线或高速公路通往省内主要城市，联结各乡县公路，形成了成都平原上的密集交通网。成都也是中国西南地区最大的航空港，双流国际机场是全国大型机场之一，160多条国际国内航线，飞往国内外60多个大中城市，游客吞吐量居全国第4位。

自战国初期蜀王迁都于此，成都距今已有2400多年的历史，被国务院列为我国首批24个历史文化名城之一。公元前316年，秦国大军灭蜀后设置蜀郡，重筑成都城作为蜀郡首府。秦太守李冰在此建成了举世闻名、万代受益的都江堰，使成都“水旱从人，不知饥谨”，从此被誉为“天府之国”。汉代，成都经济繁荣，织锦业尤为发达，是西汉时期的著名五都会之一，朝廷在此设置锦官管理，并在城西南筑“锦官城”，后世也因此称成都为“锦城”。唐代，成都的手工业和商业进一步发展，与长安、扬州、敦煌并列为全国四大名郡。五代时，后蜀皇帝孟昶命百姓遍植芙蓉，花开时节，满城生辉，故成都又被称为“蓉城”。

成都是古蜀国文化的重要发源地，早在商周时期就创造了高度发达的青铜文化。西汉时期，蜀郡守文翁在成都创办了中

出土文物——青铜立人

成都市容

草堂饰品

国历史上第一所官办学堂——石室学堂。当时第一流的辞赋家司马相如，大文学家扬雄，道学家严君平等都出自成都。此后，成都还出现过唐代著名音乐专著《乐府杂录》的作者段安节，五代著名词人孙光宪、画家黄筌，北宋史学家范镇、范祖禹，明代第一流学者杨升庵，以及现代作家巴金等一大批文化名人。唐宋期间是成都文化最为繁荣的时期，当时著名诗人李白、杜甫、李商隐、元稹、苏轼、陆游、范成大等都曾流寓此地，为成都留下了丰富的文化遗迹。

## 成都游览指要

成都市区内有金牛、青羊、武侯、锦江、成华和高新共6个城区，东郊和北郊是主要工业区，南郊是高等学府和科研机

成都武候祠正门

### 成都飞往各地航班

| 飞往 | 班期 | 时间（分钟） |
|---|---|---|
| 北京 | 1234567 | 130 |
| 贵阳 | 1234567 | 60 |
| 广州 | 1234567 | 120 |
| 桂林 | 1234567 | 80 |
| 上海 | 1234567 | 120 |
| 西昌 | 23 | |
| 厦门 | 1234567 | 140 |
| 长沙 | 1234567 | 90 |
| 天津 | 14 | |
| 福州 | 123467 | 140 |
| 西安 | 1234567 | 70 |
| 深圳 | 1234567 | 120 |
| 拉萨 | 1234567 | 110 |
| 哈尔滨 | 1234567 | 280 |
| 海口 | 1234567 | 120 |
| 长春 | 135 | |
| 昆明 | 1234567 | 60 |
| 沈阳 | 123456 | |
| 重庆 | 1234567 | 50 |
| 大连 | 1234567 | 145 |

构（中科院成都分院）集中的文化教育区，西南郊是初具规模的高新技术开发区。市内景点主要在西南郊，形成以浣花溪为纽带，以武侯祠、杜甫草堂、青羊宫、王建墓为代表的文化游览区。

武侯祠内的汉石棺

### 武侯祠

武侯祠坐落于成都老南门外的武侯大街，千多年来，几经毁损，屡有变迁。

| 飞往 | 班期 | 时间（分钟） |
| --- | --- | --- |
| 武汉 | 1234567 | 90 |
| 北海 | 24567 | |
| 兰州 | 1234567 | 100 |
| 南京 | 1234567 | 120 |
| 杭州 | 123467 | 120 |
| 黄山 | 136 | 170 |
| 乌鲁木齐 | 1234567 | 205 |
| 西双版纳 | 25 | 160 |
| 太原 | 137 | |
| 香港 | 1234567 | 130 |

诸葛亮塑像

武侯祠始建于西晋末年十六国时期，成（汉）皇帝李雄为纪念诸葛亮而建于少城。唐朝以前迁往成都南郊，与祭祀刘备的汉昭烈庙为邻。明朝初年重建时将武侯祠搬进汉昭烈庙内，以前后两大殿分祀刘备与诸葛亮，形成了君臣合庙的特有格局。现庙宇建筑为清康熙十一年（1672年）重建。1961年被列为全国重点文物保护单位。

诸葛亮（181年—234年），字孔明，今山东沂南人，是我国历史上卓越的政治家、军事家。三国时他任蜀国丞相，业绩斐然，死后受到追思，不少地方均修建有武侯祠祭祀他，成都武侯祠是最负盛名的一处。

武侯祠占地37000平方米，坐北朝南，一条中轴线贯穿大门、二门、刘备殿、过厅、武侯祠五重建筑。西侧是刘备陵园及其建筑，二门至刘备殿与东西廊，过厅至诸葛殿东西两厢房，形成两组四合建筑结构。轴线建筑两侧配有园林景点和附属建筑。

进入大门，前方两侧为碑廊。西侧碑廊内陈列的是明碑，东侧碑廊内则是珍贵的唐碑，高367厘米，宽95厘米，由唐朝著名宰相裴度撰文，著名书法家柳公绰（柳

诸葛亮祠

**铁路**

火车售票处

地址：成都市东御街

电话：6664758

**公路客运**

四川省旅游汽车公司

地址：成都市人民南路

电话：6646827

成都汽车客运站售票处

地址：成都市临江路

电话：5553609]

范增画《三顾茅庐》

公权之兄）书写，名匠鲁建勒石上碑，因文章、书法、镌刻都出自名家，被后世称为“三绝碑”。

殿堂之中，陈列了41尊蜀汉历史人物泥塑像，均出自清代民间艺人之手。刘备殿正中供奉着3米高的蜀汉皇帝刘备的贴金泥塑坐像，东西偏殿供奉着大将关羽、张飞等人，殿侧两廊各有文臣武将的彩绘泥塑坐像，阵容齐整，造型生动。诸葛亮殿内供祀着诸葛亮、诸葛瞻、诸葛尚祖孙三人的贴金泥塑坐像。诸葛亮羽扇纶巾，神态儒雅，一代名相风范。

武侯祠内不见刘备之子刘禅的塑像。传说最初建汉昭烈庙时有刘禅的塑像置于刘备像侧。庙成之后一个夜晚，刘备显灵

汉昭烈陵（刘备墓）

质问刘禅为何将江山失掉。刘禅答：江山有何作用，有之十分辛苦，无它却轻松。刘备大怒，命武将将其逐出。从此汉昭烈庙内再无刘禅的塑像。

沿武侯祠西侧廊房前行，即可进入史称“惠陵”的刘备墓地。据《三国志》记载，此为刘备及甘、吴二夫人合葬墓。墓封土高12米，周长180米，清代所制“汉昭烈皇帝之陵”石碑立于墓前。

武侯祠南侧是1984年成立的成都武侯祠博物馆，内有三国历史展览和三国文物陈列，现为诸葛亮与三国文化的资料中心和研究中心。

汉石棺盖雕

武侯祠

武侯祠内

### 铁路列车车次表

| 车次 | 发车时间 | 抵达站 |
|---|---|---|
| 375/379/398 | 21:50 | 广州 |
| 191/194 | 9:09 | 广州 |
| 118 | 22:37 | 北京西 |
| 364 | 18:15 | 北京西 |
| 8 | 10:50 | 北京西 |
| 384/381 | 21:01 | 上海 |
| 392/389 | 17:20 | 上海 |
| 175/178 | 8:18 | 武昌 |
| 375/379/378 | 21:50 | 贵阳 |
| 201 | 14:12 | 贵阳 |
| 121/123/126 | 13:20 | 贵阳 |
| 191/194 | 9:09 | 贵阳 |
| Y217 | 20:47 | 重庆 |
| 121/123/126 | 13:20 | 重庆 |
| 206/203 | 10:05 | 重庆 |
| 537 | 7:20 | 重庆 |
| 446/447 | 16:42 | 兰州 |
| 434/431 | 20:02 | 合肥 |
| 165 | 16:15 | 昆明 |
| 107 | 9:52 | 昆明 |
| 312/313 | 8:27 | 乌鲁木齐 |

## 杜甫草堂

杜甫草堂是首批全国重点文物保护单位之一，位于成都西门外的浣花溪畔，是唐代伟大的现实主义诗人杜甫流寓成都时的故居。

杜甫（公元712年——770年），字子美，别名杜少陵，河南巩县人，生活在唐王朝由盛到衰的转折时

千秋凛然

**长途汽车站**

城北客运中心
地址：成都市人民北路火车站
电话：3333612

新南门汽车站
地址：成都市滨路新南门桥头
电话：5553608

东门车站
地址：成都市九眼桥
电话：4442580

城北客运中心
地址：人民北路火车站
电话：3333612

西门汽车站
地址：老西门外乡农寺街
电话：7768428

广厦

期，一生坎坷，终不得志。因其在诗歌创作上所取得的辉煌成就而
被誉为“诗圣”，诗作流传至今约1400多首。

公元759年暮冬，杜甫因避安史之乱流亡到成都，次年春
在友人的帮助下于风景秀丽的浣花溪畔盖起了一座茅屋，便是
他诗中提到的“万里桥西宅，百花潭北庄”的成都草堂。他在
这里先后居住了将近四年，留下诗作240余首，如《春夜喜雨》
《蜀相》等名篇，其中《茅屋为秋风所破歌》更是千古绝唱。

杜甫与西川节度使严武在文学与政治上极为投契。严武曾
多次造访草堂，杜甫十分感激严武的知遇造访，吟诗云：“元戎
小队出郊垧，问柳寻花到野亭”、“寂寞江天云雾里，何人道有
少微星？”那些想攀龙附凤的人也因此携厚礼去拜访杜甫，杜
甫则退还礼物，“振我粗席尘，愧客茹黎羹”，依旧在清贫中生活。

杜甫在成都寓居交游，赋诗题画，精彩之作层出不穷。“两个黄鹂鸣翠柳，一行白鹭上青天。窗含西岭千秋雪，门泊东吴万里船。”这首《绝句四首（其三）》生动形象地描绘出诗人在草堂所见的勃勃春色。765年，严武病逝，失去唯一依靠的杜甫只得忍痛告别成都。

杜甫草堂

## 主要住宿点

锦江宾馆
星级：五星
地址：人民南路二段80号
电话：5582222

岷山饭店
星级：四星
地址：人民南路二段55号
电话：5583333

成都饭店
星级：四星
地址：蜀都大道东段
电话：4448888

西藏饭店
星级：三星
地址：人民北路10号
电话：3333988

四川宾馆
星级：三星
地址：总府街31号
电话：6755555

金河大酒店
星级：三星
地址：金河街18号
电话：6642888

杜甫草堂内

今日的杜甫草堂是经多次修复而成，面积240余亩，是成都游客最集中的观光胜地之一。草堂内楠木参天，梅竹成林，溪水婉蜒，桥亭相间，花径柴门，曲径通幽，园林格局典雅而幽美。建筑从正门始，依次递进是大庙、诗史堂、柴门、工部祠。其中大庙、柴门是杜诗中提到的草堂原有建筑，诗史堂、工部祠则是后世为纪念杜甫而建。诗史堂正中是杜甫立像，堂内陈列有历代名人题写的楹联、匾额。工部祠内供奉有杜甫画像，并有杜诗传人陆游、黄庭坚陪祀。

1985年，杜甫草堂更名为杜甫草堂博物馆，馆内珍藏有各类资料3万余册，文物2000余件。包括宋、元、明、清历代杜诗精刻本、影印本、手抄本以及近现代的各种铅印本，还有15种文字的外译本和朝鲜、日本出版的汉刻本120多种，是有关杜甫生平创作馆藏最丰富、保存最完好的地方。

### 王建墓

王建墓是全国重点文物保护单位，位于成都市西北角三洞桥，是五代时前蜀皇帝王建的陵墓，史称“永陵”，是我国已发掘的唯一一座地上皇陵。

王建，河南舞阳县人，早年为唐朝将领，唐末战乱时随唐僖宗逃亡四川，后任利州（今广元市）刺史。公元907年唐朝灭亡，王建占据成都称帝，国号大蜀，历史上称前蜀。

王建墓冢封土为圆形，高15米，直径80余米，呈穹隆状。一直误传是司马相如的抚琴台，并因此而成为当地的地名。杜

草堂大门

京川宾馆
星级：三星
地址：一环路西一段144号
电话：7784938

望江宾馆
星级：三星
地址：下沙河铺42号
电话：4790000

锦鑫酒店
星级：三星
地址：机场路18号
电话：5189518

明珠酒店
星级：三星
地址：解放路二段329号
电话：3358068

成都饭店
星级：三星
地址：蜀都大首东街
电话：4448888

拉萨大酒店
星级：三星
地址：一环路南四段肖家河北街88号
电话：5198998

西丽酒店
星级：三星
地址：解放路二段237号
电话：3340889

全兴酒店
星级：三星
地址：人民中路二段68号
电话：6259988

市区景点交通

杜甫草堂：乘304、17路公共汽车

武侯祠：乘1、304、306路公共汽车

王建墓：乘4、25、43路公共汽车

青羊宫：乘25、27、5、58路公共汽车

文殊院：乘2、16、55路公共汽车

望江楼公园：乘27、35路公共汽车

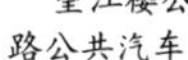

王建墓园门

永陵石人

永陵石女

甫寓居成都时曾往凭吊，并写下《琴台》一诗。1942年发掘后，经著名考古学家冯汉骥先生考察鉴定，确认为王建的陵墓。

墓室由14道石券构成，长23.4米，分前、中、后三室，中有木门间隔。王建的棺木置于中室棺床上，棺床两侧有十二力士浮雕像作扶棺状。棺床的东、西、南三面石壁上刻有乐舞伎24人，人物造型优美，神态逼真，分别演奏琵琶、筝、鼓、笙、钹、箜篌等乐器。经研究考证，石刻所展现的是早已失传的唐代著名乐舞《霓裳羽衣曲舞》。这组石刻是目前全国发掘出唯一完整的唐朝宫廷乐队形象，对研究唐及五代时期宫廷乐队的建制、音乐史、乐器史等都有很高价值。后室的御床上安放有一尊石刻王建坐像。造像头戴幞头，身着帝王服，腰系玉带，神态安详。

王建墓曾被盗墓，但墓室内仍出土有玉带、哀册、谥册、谥宝，各种银器及铁猪、铁牛等文物，对研究唐及五代时期的建筑、音乐、舞蹈、服饰、朝廷礼制等提供了宝贵的实物资料。

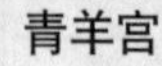

### 青羊宫

青羊宫位于成都市新西门一环路内侧，为全国著名的道教宫观之一，也是成都市内建筑年代最久远、规模最大的一座道教宫观。

青羊宫始建于唐代，现存殿宇为清代所建。

王建墓

主要建筑有三清殿、斗姥殿、混元殿、紫金台、八卦亭、无极殿、唐王殿等。

八卦亭是最壮观的主体建筑，呈八角形，琉璃圆顶；亭基方形，象征天圆地方；双层亭身，底层由八面龟纹门窗围合；环廊有八根浮雕盘龙抱柱；天花板上彩绘藻井和八卦符号。青羊宫内最引人注目的是三清殿内的两只铜羊。其中一只双角羊是清道光九年由云南工匠铸造；另一只独角怪羊鼠耳、牛鼻、虎爪、兔背、龙角、蛇尾、马嘴、羊胡、猴颈、鸡眼、狗腹、猪臀，虽外形似羊，实为12生肖的化身，据说人身上哪个部位不舒服，只要摸一下羊身上相应部位就会痊愈。这只独角铜羊是清代大学士张鹏翮特地从北京市场上购来赠与青羊宫的。铜羊底座上有佑文记其事：“京师市上得铜羊，移往成都古道场，出关尹喜似相识，寻到华阳乐未央。信阳子（张鹏翮别号）题”。

青阳宫八卦亭

青羊宫内的石刻吕祖像，相传是唐代大画家吴道子所绘，由清末民间著名刻工陈宝鑫等刻。传说成都郊外住着相依为命的贫寒母子。一次儿子离家时间较长，半夜梦见一位身穿道袍、银须齐胸的老人对他说：“快回家，你母亲病了。”儿子急忙赶赴回家。母亲满面春风对他说：“你请老翁带来的药我吃了，现在身体好多了。”儿子非常惊奇。母亲说：“我们是不是遇到神仙啦？那老翁说在成都青羊宫的湖边有一棵老梧桐树，树下有块石碑。如果把石碑挖出来立在湖边的小亭里，就是对他最大的感激。”石碑于是出土。

青羊宫所在地原名青羊肆。传说春秋时代，老子西行经函谷

成都青羊宫

## 市内公共交通

成都出租汽车公司
电话：3334477
中北出租汽车公司
电话：6621123
成都出租汽车服务公司
电话：7764814
东方出租汽车服务公司
电话：7768826
中日出租汽车公司
电话：6630074

## 旅途拾遗

**四川茶文化：**

四川人利用茶叶的历史，有文献可查的，已有三千多年。饮茶对人体有益无害。因茶叶中含有30多种芳香物质，可以溶解脂肪，使胆固醇含量下降。

四川茶馆之多堪称中国之最。城乡处处有茶馆，形成人们都喜爱喝茶的一大地方特色。茶馆除了休闲之外还是社交的重要场合。有些茶馆增设娱乐文艺节目，打围鼓、唱清音、打金钱板等曲艺节目，看板、录像节目等。

## 主要旅行社

四川海外旅游公司
地址：成都市人民南路二段65号
电话：6673689
成都海外旅游公司
地址：成都武侯大街258号
电话：5587976
四川省中国旅行社
地址：成都市一环路南三段15号
电话：5562986
成都中国青年旅行社
地址：成都人民南路三段6号
电话：5532915

膜拜

关时，写成《道德经》，并赠给关令尹喜，临别时说："子行道千日后，于成都青羊肆寻吾。"道教尊奉老子为始祖，根据这一传说，兴建了青羊宫道观。自唐代以来，每年农历二月十五老子生日，青羊宫均举行庙会，进香朝拜老子，热闹非常。

### 文殊院

文殊院位于成都市城北文殊院街，是现存市区保存最完整的一座佛教寺院。四川省和成都市的佛教协会所在地。

文殊院始建于唐代，宋代改名为信相寺，为川西"四大丛林"之一。传说清朝康熙年间，道行高深、智慧超凡的慈笃海月禅师在此修行时，有灵光自其头顶射出，光照城北，僧众视之为文殊菩萨化身。康熙三十六年遂改寺名为文殊院。公元1703年，康熙皇帝亲笔题写了"空林"匾额一块赐给文殊院，因此又称"空林堂"。

文殊院占地82亩，坐北朝南，殿宇五重，布局严谨。进山门往里走依次是天王殿、三大士殿、大雄宝殿、说法堂、藏经楼。东西两厢是钟鼓楼相对，斋堂与

文殊院

文殊院祖堂

客堂对称排列，各殿堂以长廊密柱相连结。全院共有房舍190余间，建筑面积2万余平方米。房舍为木石结构，雕饰精美。

文殊院是佛教文物荟萃之地，珍藏有唐玄奘的头盖骨残片。其余文物有铜铸、铁铸、彩塑、脱纱、木雕、石刻等不同类形的佛教造像450余尊；宋本绣像《金刚经》；明崇祯皇帝的田妃亲手绣制的千佛袈裟；清代川陕总督杨遇春的女儿抽自己的头发绣制的水月观音像；清朝道光年间江苏刺绣神手吴贞女绣制的挑纱文殊；印度梵文《贝叶经》；缅甸白玉佛；日本天平宝字五年（公元761年）的鎏金经筒；以及宋、元、明、清以来各朝名家书画等。难怪当代著名历史学家郭沫若曾以“西天文物萃斯楼”盛赞。

**大慈寺**

大慈寺位于成都市东风路一段，古称“震旦第一丛林”，成都著名古寺。据记载，唐代名僧玄奘曾在这里受戒。当年玄奘在此讲经，听众数百人，甚至武昌、汉口、南京等地都有佛教信徒前来。

该寺创建于唐代，唐玄宗赐匾“敕建大圣慈寺”。唐代鼎盛时期，寺内有96院，楼、阁、殿、堂等8524间，壁画1591幅。相传唐代大师吴道子、前蜀画家李升、

藏民游成都

四川省中国青年旅行社
地址：成都市一环路东三段99号
电话：4318971
成都中国旅行社股份有限公司
地址：成都线香街109号四楼
电话：6623020
成都中国光大国际旅行社
地址：大慈寺路17号成都商会大厦四楼
电话：6714425
四川省虹桥国际旅行社
地址：成都市正府街173号
电话：6629018
成都国际旅游有限公司
地址：肖家河广福桥街8号
电话：5178419
四川省口岸国际旅行社
地址：鼓楼洞街7号
电话：6512437
四川和平国际旅行社
地址：武侯祠大街266号华达商城
电话：5587915
蜀都国际旅行社
地址：署袜北三街20号
电话：6783643
四川长江国际旅行社
地址：二环北路一段营门口立交桥北侧
电话：7606530

## 著名餐厅

成都餐厅
地址：盐市口上东大街134号
少城餐厅
地址：西御街103号
荣乐园
地址：人民中路二段48号

成都大慈寺

文殊院内的香客

后蜀画家黄荃父子都曾在此创作大量的壁画，所有画像“皆一时绝艺”。是一座极其珍贵的艺术宝库。宋苏轼誉为“精妙冠世”。宋李之纯《大圣慈寺画记》称：“举天下之言唐画者，莫如大圣慈寺之盛。”

大慈寺历经兴废，多次毁于兵火。现存建筑有天王殿、观音殿、大雄殿、说法堂、藏经楼等，系清代中叶重建，殿宇宏丽。现为成都市博物馆，馆藏有新中国成立后成都地区出土和征集得来的历史文物、资料，品种齐全，数量众多，是研究古代蜀文化的重要佐证。

**望江楼公园**

望江楼座落在成都东门外锦江河畔的一片茂林修竹之中，面积176.5亩，是纪念唐代女诗人薛涛的古迹和游览胜地，现为四川省文物保护单位。薛涛一生爱竹，常以竹子“苍苍劲节奇，虚心能自持”的美德来激励自己，后人在园内遍植竹子以示敬意。园内名竹荟萃，有竹150余种，又称“竹子公园”、“锦城竹园”。

薛涛(?——约834)，字洪度，原籍长安，幼时随父宦居蜀中，自幼聪颖好学，才智出众。父死后家贫，沦为乐伎。她能诗善文，又谙练音律，时称女校书，死后葬于成都东门外锦江

主要购物点

成都百货大楼
地址：东御街
同仁堂
地址：商业场东红星路口西
红旗商场
地址：人民东路
春熙路夜市
地址：春熙路、青年路
四川文物商店
地址：蜀都大道少城街口
成都画店
地址：东城根街16号
成都工艺美术公司
地址：正通顺街85号
成都友谊商店
地址：上东大街9号
人民商场
地址：监市口
新华书店
地址：人民南路、春熙路

雪涛井

河畔。据记载，薛涛与当时著名的诗人元稹、白居易、杜牧、刘禹锡、张籍等交往甚密，互有唱和之作，有诗五百首，可惜大多散失，流传至今仅存九十余首，《全唐诗》中有诗88首，清末有《洪度集》木刻单行本行世。

崇丽阁和濯锦楼枕江而立，是园里的主要建筑。崇丽阁矗立在锦江岸边，是一座高27.9米的木结构高大建筑，壮丽雄伟，是成都市的标志物。该楼建于清光绪十五年，共4层，朱柱碧瓦，宝顶鎏金，其名取义于晋代文学家左思《蜀都赋》中的“既丽且崇，实号成都”一句。古时成都人由水路远行，亲朋好友多在此送行，因此这里的建筑被称为望江楼，民间沿用至今。陆游曾在此赋有《登楼》诗：“雪山西北横，大江东南流。”崇丽阁有一长达212字的楹联，为全国第六长联，与全国第一长联（江津县临江楼楹联，长达1612字）同出自享有“长联圣手”美誉的清代江津人钟云舫之手。崇丽阁还有一则奇联：“望江楼，望江流，望江楼上望江流，江楼千古，江流千古。”据说，一位江南名士乘兴吟出此上联，却始终对不出下联，于是将上联书于望江楼上，抱憾而去。百余年来，常有人试图应对，都未得佳作。濯锦楼形似船舫，紧靠望江楼。相传濯锦楼是后人为纪念薛涛置酒于船上送别唐代著名诗人元稹一事而建造的。元稹曾以监察御史身份到成都。久慕薛涛芳名的风流才子元稹差人请薛涛相见，并示以一卷“四友图”（文房四宝），请薛涛题跋。薛涛沉吟片刻，一挥而就《四友赞》，元稹惊服，从此常有唱和。元稹新丧偶，与薛涛情投意合，渐生爱慕之心，过从甚密。相爱四年，薛涛写下许多优美的爱情诗，如《鸳鸯草》：“绿英满香砌，两两鸳鸯小。但娱春日长，不管秋风早。”元稹不久调任长安，薛涛用自制的诗笺写了一百多首诗给元稹，其中云：“芙蓉新落蜀山秋，锦字开缄到是愁，闺阁不知戎马事，月高还上望夫楼。”然而，元稹调任浙江后，认识了比薛涛年轻、才貌双全的刘采春，结为百年之好。薛涛则终身不嫁，把悲愤伤心的感情凝聚笔端。

## 著名小吃

赖汤圆
地址：总府街27号
夫妻肺片
地址：总府街53号
龙抄手
地址：春熙路南段6-8号
郭汤圆
地址：北大街9号
钟水饺
地址：提督街口
张凉粉
地址：提督街94号
张鸭子
地址：提督街104号
珍珠元子
地址：大慈寺路73号
韩包子
地址：红星路四段120号
龙眼包子
地址：太平街81号
陈麻婆豆腐
地址：解放路二段41号
王胖鸭
地址：半边桥街29号
小笼蒸牛肉
地址：人民西路口
二姐兔丁
地址：鼓楼北一街
牛肉焦饼
地址：上东大街26号

望江楼暮色

## 气候着装

成都一年四季气候温和，年平均气温16℃。成都多云雾，日照时间短。

各月平均气温：

| 月份 | 温度 |
|---|---|
| 1月 | 5.6℃ |
| 2月 | 7.6℃ |
| 3月 | 12.1℃ |
| 4月 | 17℃ |
| 5月 | 21.6℃ |
| 6月 | 23.7℃ |
| 7月 | 25.8℃ |
| 8月 | 25.1℃ |
| 9月 | 21.4℃ |
| 10月 | 16.4℃ |
| 11月 | 12℃ |
| 12月 | 7.3℃ |

## 投诉报警

火警：119

急救：120

盗警：110

四川省旅游局质监所投诉电话：6657308

成都市旅游局旅游投诉中心：6622065

## 宝光寺

雪山下的五彩池

宝光寺位于成都市以北16公里外的新都城内，是四川省文物保护单位，南方“四大佛教丛林”之一，是公认的成都地区历史最悠久、规模最宏大、收藏文物最丰富的一座佛教寺庙，每年前往游览、朝拜者在百万人次以上。

宝光寺始建于东汉，历经战火，几度重修，终成今日之规模。相传唐僖宗因黄巢起义逃亡到四川，在夜间看见寺内福感塔下放出祥光，随后挖出一个内藏13颗舍利子的石匣，遂改寺名为“宝光寺”，将舍利子置于塔下，改塔名为“无垢净观舍利宝塔”，又称宝光塔。宝光塔微向西斜，素有“东方斜塔”之称。相传古时地震，宝塔摇摇欲坠，佛教徒冒着生命危险前来保护，感动了天帝，派来四位与塔同高的天神在四周扶持。其中一个用力过猛，塔就从此向西倾斜了。

宝光寺坐北朝南，全寺占地120多亩，建筑面积2万余平方米，殿宇深幽，古木葱茏。整个建

成都“第一禅林”昭觉寺

筑由一塔、五殿、十六院组成，是一座庞大的古建筑群。山门殿、天王殿、七佛殿、大雄宝殿和藏经楼层层递进。舍利宝塔位于天王殿与七佛殿之间的院落中央，高30米，形状与西安小雁塔相似，造型奇巧，相传为古印度阿育王所造，为宝光寺的重要标志。罗汉堂以塑像奇巧闻名，汇聚南、北两大流派风格。堂内有罗汉塑像共577尊，每尊高约2米，彩绘贴金，千姿百态，生活气息浓郁，在我国现存的四大罗汉堂中历史最长、规模最大。寺院的主体建筑由400多根轻则数吨、重则数十吨的巨型石柱支撑，工程极为浩大；门窗、檐拱或塑飞禽走兽，或雕瓴毛花卉，做工精细，技艺高超。

宝光寺内文物丰富、珍奇，以千佛碑、寺中三宝和《水月观音像》最为世人所重。

千佛碑成于南北朝梁武帝大同年间，1千个高仅5厘米的佛像井然有序地排列在高175厘米、宽65厘米的碑身上，造型奇巧。寺中三宝是指释迦牟尼真身舍利、优昙花和贝叶经。舍利子相传为释迦牟尼真身舍利，现珍藏在铜质镀金的小舍利塔中。清光绪三十年（公元1905年），宝光寺自信禅师的弟子真修和尚朝拜佛祖胜迹，来到锡兰（仅斯里兰卡）的楞伽山。山上的舍利塔供养着佛祖真身舍利，因塔已毁坏，正在培修，真修有幸见到塔内的舍利子。他要求带几颗回中国，主人不允。于是，他每日绕塔不止。时逢锡兰新年，他的诚意感动了到佛牙寺进香的锡兰国王，终于获赐15粒舍利子。真修回国后，将其中一粒白色的骨舍利和一粒黑色的发舍利供奉在宝光寺内。优昙花被佛教视为圣花，意为祥瑞花，极其稀有。传说每三千年花开一次，花开之时就有统领四海的“金轮王”诞生。宝光寺的优昙花据说是印度使臣送给中国皇帝的礼物。这件优昙花高1.55米，叶为箭簇形、花有六组，造型奇特。以筷子敲击四周叶片，能发出音响，类似编钟。贝叶经是古印度僧人在经处理的贝多树树叶上所刻的佛经，十分珍贵。清光绪二十八年（公元1902年），僧人清福前往暹罗（今泰国）首都曼谷，着暹罗僧人装谒见国王，国王待之以礼，临别赠梵语《法华经》贝叶经一部。清光绪三十二年，清福将其带回宝光寺。这部贝叶经长48.5厘米，宽6厘米，131页，以丝绦穿结。现置于檀香木匣中供游人观瞻。《水月观音像》为国画大师张大千所绘，是他临摹敦煌壁画作品中最有神韵的一幅，由新都县长筹款购得，供奉在宝光寺方丈室旁。

宝光寺

福满成都

## 医疗急救

华西医科大学附属第一医院

地址：成都市小天竺街

电话：5553329

四川省人民医院

地址：成都市一环路西二段

电话：6669262

四川省急救中心

电话：7769262

## 邮政电讯

邮政编码：610000

长途区号：028

## 管理机构

四川省旅游局

地址：成都市人民南路二段65号

电话：6671647

成都市旅游局

地址：成都市正府街80号

电话：6629858

# 创开天府的古堰

## 都江堰游览指要

都江堰上的安澜桥

成都乃至整个四川被称作“天府之国”，除了气候地理因素外，还得益于著名的古代水利工程——都江堰。自建成至今2500多年间，都江堰一直发挥着巨大的防洪和灌溉效益，灌溉面积今达5300多平方公里，使成都平原“水旱从人，不知饥馑”，是古代水利工程至今仍在造福人类的罕见范例，被誉为“独奇千古”的“镇川之宝”。

都江堰是我国古代劳动人民勤劳、智慧的结晶，初创于古蜀国开明王朝时期。秦昭王时（公元前256年），蜀郡太守李冰父子经过访察水脉，因地制宜，在前人的基础上建成。分水工程在岷江江心以竹笼装卵石而成，将肆虐的岷江分为内外两股，化害为利，兼具泄洪与灌溉两大功能。新中国成立后，都江堰经过改造扩建，现已有大小3万多条灌溉渠道，灌溉着成都平原及周边丘陵地区40多个县、市。

都江堰距成都市区54公里，是一个融人文历史与自然景观为一体的省级旅游度假区，是天府

成都周边景点示意图

汶川
莹华山
九峰山
都江堰国家森林公园
卧龙自然保护区
德阳
都江堰
彭州
广汉
青城后山
青城山
宝光寺
新都
成都
西岭雪山
崇州
罨画池
大邑
刘氏庄园
文君井
邛崃
天台山
蒙山
雅安
眉山

之国的一个旅游热点。景区由渠首工程、伏龙观、二王庙和沿江古道四部分组成。

### 渠首工程

位于岷江中、上游交界处，由鱼嘴、宝瓶口、飞沙堰三部分组成。鱼嘴是岷江江心的分水堤坝，形如鱼嘴，伸人江心，将岷江分为内外二江。外江是岷江正流，内江水则通过宝瓶口引入成都平原灌溉千万亩农田。宝瓶口由人工开凿，进水口仅有10多米宽，控制内江水量。飞沙堰是中段的泄洪道，洪水期间涌入内江多余的水量和泥沙可从这里自动排出外江。

渠首工程通过鱼嘴分水堤、宝瓶引水口和飞沙堰泄洪排沙

都江魂

都江堰远眺

### 邮政电讯

邮政编码：611800

长途区号：028

都江堰二王庙

### 对外交通

成都汽车站等地有各班车往返都江堰，青城山也有多班巴士往返，乘搭非常便捷。

### 主要住宿点

中旅饭店

地址：都江堰市建设路237号

电话：7281188

月亮湾饭店

地址：都江堰市内

电话：7284791

的有机配合，科学地解决了江水的自动分流、自动排沙、自动排水和引水的难题，使内外江的水量始终按四、六分成，即洪水时内江四成，外江六成，枯水时外江四成，内江六成，保证灌区既有足够的水源，又不至于发生水灾。德国地理学家李希霍芬也感叹道："都江堰灌溉方法之完美，世界各地无与伦比。"

鱼嘴附近的内江之上有一座安澜索桥，桥辅木板，旁有翼缆，长约1华里。因此桥可安渡狂澜，故民间又称之为"安澜桥"。每逢江水涨落，游人多至此观潮。

### 伏龙观

位于离堆公园内，下临深潭，传说李冰治水时在这里降服孽龙。

伏龙观现存殿宇三重，前殿正中为东汉时期（公元168年）所雕的李冰石像，高2.9米，重约4吨，衣襟两侧有阴刻题记。殿内还有东汉堰工石像、唐代金仙和玉真公主在青城山修道时的遗物—飞龙鼎。后殿有电影放映室，放映中、英文两种版本的彩色影片《都江堰》，形象地向游人介绍都江堰水利工程的规模和科学原理。殿内还有都江堰水利工程的模型及国内外要人参观都江堰的照片展览。殿后的观澜亭，位于离堆的最高处，是观看都江堰的好去处。

**文化娱乐场所**

翠月湖公园

地址：都江堰市翠月湖

电话：7284888

**医疗急救**

都江堰市人民医院

地址：都江堰市向阳坡1号

电话：7121111

都江堰一景

## 二王庙

二王庙位于岷江左岸的山坡上，掩映在古木参天的浓荫之中，前临都江堰，依山傍水，殿宇群拾级而上。后门位于半山公路边，游人往往从这里下车，顺石级而下参观游览，出前门直到江边，过安澜索桥抵达鱼嘴分水堤游览。

都江堰鸟瞰图

岷江滔滔

二王庙古为纪念蜀王杜宇的望帝祠，齐建武（494—498年）时改祀李冰父子，改名崇德祠。因宋以后李冰父子相继被敕封为王，后人称之为“二王庙”。主殿分别供有李冰父子的塑像，还珍藏有治水名言、诗人碑刻和闻名的治水《三字经》、《八字诀》。李冰殿有一副楹联“六字炳千秋，十四县民命食天，尽是此公赐予；万流归一江，八百里青城沃野，都从太守得来”，盛赞李冰父子的功绩。

祭祀李冰父子的活动，历来非常隆重。清明时节会有开水典礼及放水节祭祀活动。

## 沿江古道

沿江古道蜿蜒于玉垒山麓，红砂石铺就，连结玉垒关古城门、古南桥与二王庙。古时候，山区的少数民族就通过这条古道进入成都平原。

游人参观完伏龙观后，过古南桥，穿越一段旧街区便可踏上这条千年古道。沿途景点有大型牌坊、斗犀台，终点是古城门玉垒关。此关城墙高大，下临危崖急流，上接山势，形势十分险要。传说三国时诸葛亮曾派大将马超领兵驻守，保卫都江堰水利工程。

站在玉垒关城门箭楼上，可纵览都江堰渠首工程全貌。出关门沿驿道下行1千米左右即到达二王庙前门。二王庙与离堆之间架有索道，游人可坐缆车观赏都江堰水利工程。

### 主要旅行社

都江堰市中国旅行社
地址：都江堰市建设路237号
电话：7282464

都江堰市龙池森林旅行社
地址：都江堰市外北街
电话：7271606

都江堰金叶旅行社
地址：都江堰城北月亮湾金叶宾馆
电话：7283414

都江堰教育旅行社
地址：都江堰太平街
电话：7281607

都江堰市交通旅行社
地址：都江堰市奎光25号
电话：7282251

都江堰市青城山旅行社
地址：都江堰市青城山镇青苑酒店
电话：7313511

# 青城天下幽

## 青城山游览指要

青城山导游图

### 对外交通

青城山距成都市仅68公里，距双流国际机场73公里，交通便捷，四通八达，有多班旅游巴士穿行成都与四川各地。从成都乘车至青城山仅需40分钟，自助旅游者可从成都西门汽车站乘车。

### 气候着装

青城山气候条件得天独厚，属亚热带温湿季风气候区，年平均气温15℃左右，年平均无霜期250天，年平均降水量1000毫升；夏无酷暑，冬无严寒。游人来此，可穿常服。

青城山位于成都平原西北部边缘都江堰风景区内，东距成都68公里，距都江堰仅10多公里。主峰老霄顶海拔1600米，林木青翠，四季常青，诸峰环峙，状若城廓，故名青城山，素有“青城天下幽”的美誉。青城之幽素为历代文人墨客所推崇。1940年前后，当代国画大师张大千举家寓居青城山上清宫。他寻幽探胜，泼墨弄彩，作品愈千幅，还篆刻图章一方，自号“青城客”。六十年代，张大千在远隔重洋的巴西圣保罗画了巨幅《青城山全图》，供自己及家人卧游。晚年自云：“看山还是故乡青”，“而今能画不能归”， 终身对故乡青城仙山充满着眷恋之情。1941年初夏，我国现代著名的爱国诗人、革命家和书法大师于右任游都江堰后溯岷江寻访"神禹故里",为青城山的景色所感动,慨叹道:"这简直是一幅绝妙的泼墨写意画,愿与青山共白头!"晚年梦游青城山,弥留之际留下哀惋动人的诗章:"葬我于高山之上兮,望我故乡。故乡不可见兮,永不能忘!"

青城山是中国著名的道教名山,道教发源地之一。传说道教天师张道陵晚年显道于青城山,并在此羽化。此后,青城山成为天师道的祖山,全国各地历代天师均来青城山朝拜祖庭。

青城山大门

张道陵,原名张陵,客居四川,学道于鹤鸣山中,依据《太平经》造作道书,自称出于太上老君口授,并根据巴蜀地区少数民族的原始宗教信仰,奉老子为教主,以《道德经》为经典,创立了五斗米道,又称天师道,被后世尊为天师,改其名为张道陵。

青城山分前山和后山。前山是青城山风景名胜区的主体部分,约15平方公里,景色优美,文物古迹众多,主要景点有建福宫、天然图画、天师洞、朝阳洞、祖师殿、上清宫等;后山总面积100平方公里,水秀、林幽、山雄,蔚为奇观,主要景点有金壁天仓、圣母洞、山泉雾潭、白云群洞、天桥奇景等。

## 主要住宿点

鹤翔山庄
星级：二星
地址：青城山
电话：7288044

电信度假村
星级：二星
地址：青城后山泰安镇
电话：7288507

## 土特产品

青城山著名的物产，一是茅梨酒，香甜醇厚，别有风味；二是青城茶，古时曾是贡品。

青城山天师洞

天師洞

青城山掷笔槽

天然图画

青城山上清宫

古人记述中，青城山有“三十六峰”、“八大洞、七十二小洞”、“一百八景”之说。

自古以来，人们以“幽”字来概括青城山的特色。青城山空翠四合，峰峦、溪谷、宫观皆掩映于繁茂苍翠的林木之中。道观亭阁取材自然，不假雕饰，与山林岩泉融为一体，体现出道家崇尚朴素自然的风格。

堪称青城山特色的还有日出、云海、圣灯三大自然奇观。其中圣灯（又称神灯）尤为奇特。上清宫是观赏圣灯的最佳观景处。

每逢雨后天晴的夏日，夜幕降临后，在上清宫附近的圣灯亭内可见山中光亮点点，闪烁飘荡，少时三、五盏，忽生忽灭，多时成百上千，山谷一时灿若星汉。传说是“神仙都会”青城山的神仙们朝贺张天师时点亮的灯笼，称为圣灯。实际上，这只是山中磷氧化燃烧的自然景象。

### 前山景点

建福宫　座落于丈人峰下，山门左侧。始建于唐代，后经历代多次修复，现仅存两殿三院。建福宫筑于峭壁之下，气度非凡。其左侧是明庆府王妃遗址，西行 1 千米，即至岩石耸立，云雾缭绕的“天然图画”。宋代诗人范成大曾在此为宋帝祈祷，皇帝特授名为“瑞庆建福宫”。诗人陆游有诗描写当时的建福宫是“黄金篆书榜金门，夹道巨竹屯苍云。岩岭划若天地分，千柱眈眈在其垠”。现宫内保存有古木假山、委心亭、明庆符王妃的梳妆台遗址，以及壁画、楹联等文物。

原青城山道长、中国道协主席傅天元中（中）

天然图画　位于建福宫与天师洞之间，海拔893米，两峰夹峙。游人至此，可见亭阁矗立于苍崖立壁、绿荫浓翠之间，如置身画中。亭阁后是常有丹鹤成群，唳于山间的驻鹤庄；右有横石卧于两山之间的悬崖上，被称为“天仙桥”，传为仙人聚会游戏处。

天师洞　自建福宫北行两公里即至青城主庙——天师洞。天师洞始建于隋朝大业年间，三面环山，一面临涧，古树参天，十分幽静。相传东汉末年张道陵曾在此讲经传道。观内正殿为“三清殿”，殿后有黄帝祠和天师洞等古迹。天师洞右下角有一小殿，名三皇殿，内有轩辕、伏羲、神农石像。洞门前有一株古银杏树，高约50余米，胸围7.06米，直径2．24米。据说乃张天师手植，树龄已达两千余年。

1943年夏，杰出的画家和美术教育家徐悲鸿先生曾来青城山写生。他在天师洞独居一室，先后创作了屈原《九歌》中的插图《国殇》、《山鬼》等多幅作品，送给青城道士的《奔马》和《天马》图，已制成石刻陈列。

祖师殿　位于天师洞右后侧山腰间，出天师洞过访宁桥即到。祖师殿又名真武官，创建于唐代。唐代诗人杜光庭、薛昌，宋代张愈均在此隐居。唐睿宗的女儿玉真公主也曾在此修

青城栈道

### 名人题咏

翠浪东倾接混茫，
眼前忧患讵能忘；
空山叫断梆梆鸟，
一夜惊心似战场。

于右任　《青城纪事诗》

寒梅雪里香浓，
仙境人间自永。
犹余故国青山梦，
画得神州一统。

于右任　《中吕醉高歌》

### 旅途拾遗

青城山镇是都江堰市第一个小康镇，综合经济实力名列第一。1999年全镇生产总值近20亿元，与1992年相比，增长近20倍。被评为“四川省巴蜀旅游业五十强单位”。

道，以求成仙。该殿环境幽静，殿内有真武祖师、吕洞宾、铁拐李等神仙塑像及八仙图壁画、诗文刻石等。

**朝阳洞** 位于主峰老霄顶岩脚，洞口正对东方，深广数丈，可容百人，传为宁封丈人栖息处。清人黄云鹄曾在此结茅而居，并撰联曰："天遥红日近，地厌绛宫宽"。近代画家徐悲鸿也曾在此撰联："空洞亲迎光照耀，苍崖时有凤来仪"。

青城山五洞天

**上清宫** 位于青城山第一峰、距峰顶约500米的半坡上。始建于晋代，现存庙宇为清同治年间所建，上有"天下第五名山"、"青城第一峰"等摩崖石刻，宫门"上清宫"三字由蒋介石题写。宫内祀奉道教始祖李老君，有老子塑像和《道德经》五千言木刻，还有麻姑池、鸳鸯井等传说遗迹。上清宫前留有明末张献忠义军的遗迹：张献忠的跑马坪、旗杆石、复仇谷等。上

上清宫里的法事

青城山金鞭岩

青城飞瀑

清宫后为老霄顶，建有呼应亭，是观赏日出、神灯和云海奇观的绝佳地点。

## 青城后山

青城后山位于青城山后，泰安乡境内，距成都70公里，总面积约100平方公里。西北与卧龙自然保护区为邻，东北与赵公山相连，东越天仓山、乾元山可到天师洞、建福宫，西南与六顶山、天国山接壤，与青城山一脉相承，深藏不露，极具神秘色彩，直至80年代才加以开发。

乘车从青城山大门左侧公路西行，跨青溪桥，穿后山门，经飞仙亭、飞仙观、响水洞、白石碾、金鞭亭、八卦台、贡茶亭、迎仙亭、三龙亭等众多景点，方到青城后山景区的起点站——泰安寺。

泰安寺始建于唐，寺旁有一座舍利塔、三通古碑和数十株十分粗壮的古银杏、桢楠和红豆树，寺前有古驿道，是灌县通往金川的必经之路。相传明末泰安寺僧人了空与蜀王残部勾结，与农民起义军领袖张献忠的部属为敌。张的部属请到土人带路，

### 旅途拾遗

**川剧：**

是流行于四川地区的一种地方戏剧，是戏曲中较为古老的剧种之一。由于它历史悠久，具有鲜明的地方色彩，浓郁的生活气息和广泛的群众基础，在我国戏剧舞台上占有一定位置，尤以“变脸”绝技闻名。

**川菜：**

“吃在中国，味在四川”。川菜为全国四大菜系之一，清鲜见长，风格多样，素有“一菜一格，百菜百味”之称。尤以麻辣最为知名。鱼香、家常、宫保、水煮等特殊风味各有特色。

著名菜点有：回锅肉、小煎鸡、锅巴肉片、樟茶鸭子、豆瓣鲜鱼。

青城山道

偷袭泰安寺，大获全胜。寺焚僧逃，了空触岩而亡。对此，《青城山记》中有记载。1986年该寺重修，随后香火不断。泰安寺一带五溪合流，五峰环聚，风光幽美。传说古蜀王杜宇在此将土人所献米酒倾于味江中，与将士共饮。

青城后山的宫观香火虽无前山之盛，而清幽洁净则更胜一筹，有“一山幽意论平分”之说，自然风光迷人。沿山道而行，山花烂漫，飞瀑流泉不绝；峭壁悬岩，天光云影一线；忽而栈道逶迤曲折，不见头尾；忽而村落群山环抱，绿草如茵。

神仙洞仙气浓郁、林深幽暗。洞口的浴仙岩处，一字排开48个石潭，光滑无苔，水清宜人，传说青城神仙常在此沐浴。天台寺遗址周围，散布着几十座宋代、明代的古墓，其中一座明墓上刻着对联：“山前山后溪水响，云内云外涧鸪啼。”

青城第一宫——建福宫

黄鹤桥外有飞泉沟，全长10公里，源出蓥华山南天门，流入味江。溯沟而上，景致迷人，“幽谷飞泉”、“百丈长桥”、“双泉水帘”三景尤绝。“幽谷飞泉”由观音岩瀑布、闭月潭、落雁潭组成；“百丈长桥”为悬崖上的栈道，满挂古树苍藤；“双泉水帘”则似花果山水帘洞，亭上有一幅对联：“双声泉落涧，长啸我开襟。”

白云群洞海拔1600米，由大小上百个天然洞穴组成。望云亭上的楹联“人间桃源洞，天外白云乡”对此大为咏赞。洞极幽深，洞内有河、桥，宛若神仙洞府。传为白云祖师修炼升仙处。第一大洞群仙洞内有古青城山仙人、隐士的塑像。老君洞海拔最高，有李聃传道塑像七尊，是赏红日的观景点。游览白云群洞，多穿行于古木悬崖之间，云海飘渺，云上诸峰，宛若仙岛。清代徐星《灌县乡土志》说："白云诸洞，如屋能居。唐宋时，依岩架屋，有禅僧栖之。光绪初年，成都知府黄云鹄，闻其中一洞有刻石，亲自攀藤附葛而上，果见岩壁间有石刻题诗，字迹内依稀可辨，吟咏半日，不忍离去。"

景区全程20余里，新建有上山索道可使游客节省一半路程，便能欣赏到青城后山大部分景观。近年还新建了各类宾馆，为游客开辟了许多全新的旅游项目。青城后山是蜀茶的著名产地，宋代设味江镇，清代此地出产的佳茶被列为贡茶。宋初的农民起义领袖王小波及李顺均为此处茶农，因不满朝廷对川茶的垄断贸易、不堪苛政之虐而聚众起义，提出"均贫富"的口号。现沙坪锅圈岩建有"王小波、李顺农民起义纪念馆"，供后人参观。

青城瑞雪

# 川西门户里的瑶池

## 成都至九寨沟途中

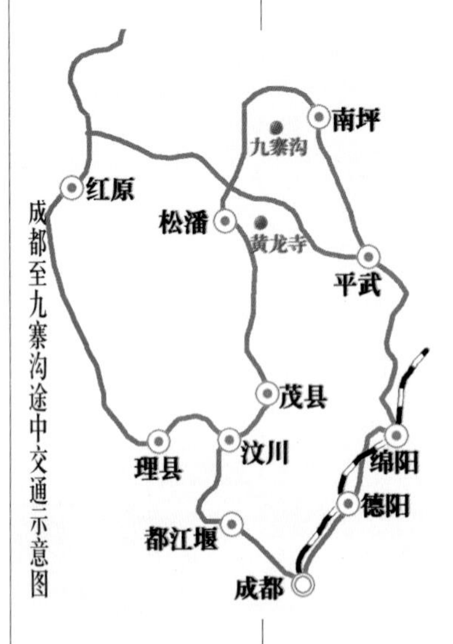

成都至九寨沟途中交通示意图

离开成都，经汶川、茂县、松潘等地即到九寨沟景区。途中所经景区包括：七盘沟风景区、九峰山、莹华山、牟尼沟、黄龙风景区等。

### 七盘沟风景区

七盘沟景区位于阿坝藏族羌族自治州汶川县城南，距县城约7公里。七盘沟全长30公里，沟口海拔1500米，沟顶的白龙池4020米，沟宽处300余米，窄处仅1米左右。

七盘沟是一处以自然风光为主的山地风景区。全沟景观可分为上下两段。

上段自白龙池到雪花坪一带，长约6公里，属典型的“彭灌杂谷”断裂地带。山势陡峭，峰形千姿百态，如刀劈斧砍。形如葫芦的白龙池是一座高山堰塞湖，潭深水碧，潭水泻下形成多级瀑布，落差50米以上的瀑布有10余个。

下段由雪花坪至沟口镇沟石，全长约15公里。这里水流多变，奔流在茂林幽竹间，雪花坪瀑布甚为壮观。地势开阔，两岸山峰高耸，野花遍地，绿草如茵。

九寨途中所见

年青的僧侣

七盘沟气候温和，植被丰茂。从山脚到山顶分为5个垂直分布的植物带，植物种类繁多，动物资源也很丰富。

**九峰山“地质公园”**

九峰山位于彭州市大宝乡，有“地质公园”之誉，因有火焰、白虎等九座山峰而得名。山上重峦叠嶂，林海苍茫，飞瀑流湍，景色迷人。山上主要景观有鹃林花海、鸳鸯双瀑、古刹遗踪、“满天星”、上索桥、大小龙潭、三迭瀑布、珍珠帘瀑布、百丈瀑布、落红瀑布、幻影瀑布、佛面崖、小洞天、长河栈道等。主要景观集中在东北山麓的银厂沟，峰险谷峡，四季景色各异，古人曾在此开办银厂。

九峰山历史悠久，汉代班固《汉书》中已有记载。历代文人在山中漫游，为之倾倒。左思《蜀都赋》中称赞其：“包玉垒而为宇”；唐代著名诗人王勃、李白、杜甫、高适、岑参、李商隐等都在此留下诗文题记。

清代以来，山上寺庙林立，成为佛教名山，香火不断，与莹华、天台合称“三山”。始建于明代天启年间的雷音寺为大将张宝边弃戎出家后所建，晴天可见“佛光”和“圣灯”，还可远眺银光闪闪的太子城和雪山，是山中观景佳处。传说明代崇祯年间，天官刘宇亮奉旨在此开金矿，由太子监察，后太子死于此处，因而起名“太子城”。

松潘寺庙

对外交通

从成都到黄龙有六条道路供选择。

一、从成都西门车站出发，经灌县、汶川、茂县到松潘黄龙。沿途可游览青城山、都江堰、二王庙等风景名胜区。全程319公里。

二、从成都乘火车或汽车至江油，经平武至南坪到松潘黄龙。沿途可游览李白纪念馆、海灯武馆、窦圌山、九寨沟等风景名胜区。全程640公里。

三、从成都经绵阳、江油、平武抵黄龙。全程522公里。

四、从成都乘火车到昭化，经文县、南坪到黄龙，沿途可游览昭化古城、九寨沟等，全程740公里。

五、从成都到绵阳经北川、茂县到黄龙，沿途可游览绵阳碧水寺、蒋琬墓等。全程430公里。

六、从成都经汶川、理县、红原，饱览雪山草地风光后到黄龙，全程650公里。

孤独的牧马

## 主要住宿点

松潘宾馆
地址：松潘顺城南路
四川计生招待所
地址：松潘宾馆南侧
黄龙宾馆
地址：县城大街十字路口
松潘招待所
地址：中央大街（人民中路）
松州招待所
地址：松潘招待所斜对面
岷江招待所
地址：松潘宾馆北侧400公尺桥头
林业宾馆
地址：松潘宾馆北侧500公尺
二轻招待所
地址：中央大街中段
汶川桑坪宾馆
地址：大河对岸大街中段
汶川宾馆
地址：县城大街中段
汶川县招待所
地址：县城大街
黄龙华龙酒店
地址：松潘县黄龙乡
电话：7242505
太阳河宾馆
地址：松潘县进安镇
电话：7232719
茂县宾馆
地址：茂县凤仪镇
电话：7422971
羌林大酒店
地址：茂县凤仪镇
电话：7721436

### 松潘古城

松潘，古名松州，四川省历史名城，是历史上有名的边陲重镇，被称作“川西门户”， 古为用兵之地。史载古松州“扼岷岭，控江源，左邻河陇，右达康藏”，“屏蔽天府，锁钥陲”，故自汉唐以来，此处均设关尉，屯有重兵。

唐朝时，吐蕃首领松赞干布派使者前往长安求婚。使者路过松州，被州官扣押，松赞干布大怒，亲率大兵二十万入侵，唐都督韩咸战败，唐太宗命吏部尚书统军抵达松州，经川主寺一役，唐军大胜。松赞干布返藏后又遣使臣送黄金以求通婚和好，太宗晓以大义，将文成公主嫁与松赞干布，传为千古佳话。

进入松潘县城，方圆十里的城门城墙高大古老，保存完好。

松潘古城楼

据《松潘县志》记载，明洪武十二年（1379年）平羌将军丁玉在平定威、茂士官董贴里叛乱军，挥师北进，进驻松州之后，上书皇帝朱元璋，建议在松州设置军卫。

松州设卫时，丁玉调宁州卫高显来松负责筑城事宜，在西缘山麓，东傍江岸以上筑墙，历时五年，筑成一段城墙。古墙砖长50厘米、宽25厘米、厚12.5厘米，所用灰浆系用糯米、石灰、桐油熬制而成，每块青砖重达30公斤，砌成十多米高，6200多米长的城墙，工程艰巨。今天，在松潘的“窑沟”、“窑坝”山上，遗留有为筑城烧制青砖而造的古窑遗迹。

明英宗正统年间（1436～1449年），松潘发生民变。高踞西山之巅的变民，可观察到城中的布防情况。民变平定后，负责松潘兵备的御史冠琛，将西部城墙由山麓筑到山巅。嘉靖五年（1526年）松潘总兵又增修外城一千余米，历时60年，才使松潘城制初具规模。

松潘古城有门七道：东曰“觐阳”、南叫“延熏”、西号“威远”、北作“镇羌”，西南山麓者称“小西门”，外城两门，东西向称“临江”、南北向称“阜清”。各城门以大块平行六面之条石拱圈，使顶部呈半圆形，门基大石上镂有各种浮雕图案，别具匠心，耐人寻味。临江门旁石壁上，镌刻着崇帧十六年（1644年）关于减免苛赋的布告。

古城墙门堡始建于明太祖洪武十二年松州卫和潘州卫合并为松潘卫时。门洞厚十五丈，造工坚实，经数百年风雨而不蚀不坏。登上城墙可饱览周围的雄壮景色。

松潘城内，小桥流水，景观独特，一条湍急而清澈的河流从松潘古城的东端穿过环城路向西流，在切过中央大街后，转往南流，从南城门左侧流出松潘古城，使得整个松潘古城顿时活泼生动起来。尤其河两岸的人家，依着河岸在河面上架起古意盎然的竹楼，欣赏远山近水，非常写意。

松潘还是一处重要的历史纪念地。清咸丰年间，税赋沉重，由此引发了一场轰轰烈烈的藏、羌人民反清大起义。起义历时六年，领导这次起义的领袖是松潘羌族女英雄额能作。起义军曾攻下九关六堡，占领松潘古城（今松潘县城）两年，多次击败清军围攻，消灭清军数千人。

### 牟尼沟

牟尼沟位于四川省阿坝州松潘县西36公里处，占地面积160平方公里，最低海拔2800米，最高海拔4070米，年平均气温4℃，空气清新，阳光充沛。

牟尼沟由扎嘎瀑布景区和二道海景区组成，游完全程需花两天半的时间。自然风光迷人，民族风情浓郁，集九寨沟和黄龙之美，却比九寨沟更为清净，且无冬季路途结冰而封山的苦恼。

### 扎嘎瀑布

扎嘎瀑布景区沟长5公里，入口处到营区有一条平坦的山道，山路左侧为坡，右侧为深沟，到处长着参天古树。策马前行大约半小时后，经过一条山道，就到了谷底的瀑布景区游览起始点。

新村大酒店
地址：茂县凤仪镇
电话：7421782
汶川新国旅酒店
地址：汶川县威州镇
电话：6224276
汶川宾馆
地址：汶川县威州镇
电话：6222360

### 气候着装

黄龙属典型的高原温带——亚寒带季风气候。冬季漫长，春秋相连，基本上没有夏天。年平均气温5—12℃，年温差和日温差都相当大。人们常用“早穿棉袄午穿纱，围着火炉吃西瓜”来形容这里的气候特征。

各月平均气温：

| 月份 | 温度 |
|---|---|
| 1月 | -8℃ |
| 2月 | -5℃ |
| 3月 | -1℃ |
| 4月 | 2.3℃ |
| 5月 | 5.9℃ |
| 6月 | 7.9℃ |
| 7月 | 11.1℃ |
| 8月 | 10℃ |
| 9月 | 8.9℃ |
| 10月 | 3.2℃ |
| 11月 | 2.33℃ |
| 12月 | -8℃ |

牟尼沟藏族祭地

牟民沟扎嘎瀑布

牟尼沟林中海子

从谷底到瀑布绝顶总长约2300米，瀑布从绝顶倾泄而下，形成了多处飞流。斜坡的右侧修建有一条曲折栈道，便于游客观景。

札嘎瀑布是一座多层的叠瀑，叠叠多变。瀑布高104米，宽35米，为中国最高的钙化瀑布。湖水从巨大的钙化梯坎上以每秒23米的速度跌落，气势磅薄，涛声十里。

从谷底沿栈道往上走，第一个景点是红柳湖。这里为水面开阔的浅水湖，水中长满成片的红柳。经卧龙滩、蛤蟆宫、绿柳滩，到距离标示为1450米之处，可见一片风格独特的小瀑布群——林中叠瀑，沿栈道继续上行，途经九流池、玉液瀑，就到了札嘎瀑布的底部溅玉台。溅玉台是一座圆形的平石台，当瀑布从高山绝顶往下倾泻，跌落在此平台，浪花四溅，如同白玉。经过一段陡峻的栈道，可以到瀑布中段的观景台参观。从这里往下俯视就是飞珠溅玉的“溅玉台”。离开观景台，栈道开始变陡。经过一段狂瀑，就到达札嘎瀑布的源头。

## 二道海

二道海在牟尼沟的末端，和扎嘎瀑布仅一山之隔。二道海的名称由来已久，据说来自于小海子、大海子这两个主要湖泊。《松潘县志》中也有记载：“二道海，松潘城西，马鞍山后，二海相连如人目。”

二道海景区为一狭长山沟，长达5公里，有栈道相连。从营区沿栈道上行，沿途可观赏到小海子、大海子、天鹅湖、翡翠湖、犀牛湖等，个个宛如珍珠、宝石。有的藏匿于密林之中；有的袒露在蓝天之下。湖水清澈透明，水面如镜，翠林倒映水中，一派清新湛蓝的景色。夏秋季节，满湖开满洁白的水牵花，花海难分，极具特色。海与海之间由栈道连接，错综复杂；几座凉亭为群海添上几分野趣。

自二道海上行至景区的最深处，有一棵古松，松下是一座温泉，名叫珍珠湖，又名煮珠湖，相传是九天仙女在这里煮珠炼泉所营造出的祛病沐浴池。这里水温较高，即便是大雪冰封的严冬时节，水温也在25℃左右。池边硫磺气味浓烈，常有人在此沐浴，据说能医治皮肤百病。

### 主要旅行社

黄龙旅行社
地址：黄龙风景区
电话：7790390

牟尼沟秋水

牟尼沟野趣

### 注意事项

1、成都至黄龙的沿途路况较差，时有塌方及修路造成车辆堵塞，因此行程延误的情况会有发生，游人应备齐食品、饮料及药品。

2、黄龙天气较冷，早晚温差很大，游人应备齐厚衣服，以御风寒。

3、高山反应会给游人带来不适，特别是在赴黄龙途中，经由雪宝顶，海拔可达4300余米，游人可多食水果，如多汁的鸭梨以减轻高山反应，也可在松潘当地的防疫站购买氧气袋，以备万一。

## 黄龙风景区游览指要

黄龙风景名胜区位于阿坝藏族羌族自治州松潘县境内，西距松潘县城56公里，东离平武县122公里，总面积4万公顷。黄龙风景区外围还有红军长征纪念碑碑园，红军毛尔盖会址，漳腊藏寨等旅游点。

黄龙景区是国家级风景名胜区，与九寨沟同时列为世界自然遗产。景区以其奇、绝、秀、幽的自然风光而蜚声中外。

黄龙的地质结构为独特的高山峡谷类型。自然景物世间罕有，高原风光绚丽多彩。主景区黄龙沟属岩溶亚类，呈宽谷形，面积22平方公里，造型奇特，规模宏大，景观美丽，结构奇巧，是世界上最为壮观的喀斯特奇观。

黄龙的钙华景观举世无双。枯落的残枝、飘零的败叶、倒入水中的朽木和多种多样的沉水植物在彩池中经过钙华活动中的“籽晶作用”，树干、枝桠和树根等的本身形态消失，而树叶却能清晰地显现其原有形态，脉络清晰，犹如保存完好的“植物化石”，形状千奇百怪，在水中构成一幅幅奇特的立体画卷。其色调层次明晰，其风格朴素清雅，极富动感。

黄龙以彩池、雪山、峡谷、森林“四绝”著称于世。壮观的地表钙华流婉蜒于原始森林中，酷似一条金色巨龙，令人称奇。黄龙彩池被誉为“人间瑶池”。乳黄色的长坡上，花木竞秀，碧水清泉，分布着千百块迂回周折、层层嵌砌的彩池。彩池大小不等，形状各异，深浅不一，澄净无尘，随着周围景色的变化和阳光反射角度的不同，闪烁出各种奇幻的色彩，艳丽奇绝。

美国国家公园高级官员欧伯特观赏了黄龙奇观后，赞叹道:

管理机构

松潘县旅游局

电话：7232339

"这里有似加拿大的大雪山、怀俄明州的峡谷、科罗拉多的原始森林、黄石公园的钙华彩池，多类景观，集中一地，世所罕见。黄龙不仅是中国人民的财富，也是全人类的宝贵财富。"

黄龙风景区的主要景点有：

### 迎宾池

进入黄龙景区，首先看到的是一组精巧别致、水质明丽的池群——迎宾池。池子大小不一，形状奇特，色彩艳丽，错落

黄龙沟小景

## 医疗急救

牟尼沟风景区：医疗条件简陋。在松潘县城有卫生急救站。

黄龙风景区：医疗条件简陋。在川主寺镇有卫生急救站。

## 主要购物点

松潘地矿部

地址：松潘县漳那乡

九寨回春堂

地址：汶川县七盘沟

## 邮政电讯

邮政编码：623300

长途区号：0837

## 名人题咏

**黄龙前寺楹联：**

玉嶂参天一径苍松迎白雪

金沙铺地千层碧水走黄龙

**黄龙后寺楹联：**

碧水三千同黄龙飞去

白云一片随野鹤归来

仅节西游自一时，雪山秋色照峨眉；羲之只作常言语，未了汶江一段奇。

明 汤显祖《怀王参知松潘》

有效。四周山岳环峙，林木葱茏，山间野花竞放，彩蝶飞舞。山间石径曲折盘旋，点缀着观景亭阁，倍添情趣。

**“飞瀑流辉”：**

告别迎宾池，沿着曲折的栈道蜿蜒而上，可见到千层碧水冲破密林，顺坡而下，在高约10米、宽约60余米的岩坎上飞泻而来，形成数十道梯形瀑布，如珍珠滚落，银光闪烁；如水帘高挂，云雾蒸腾；如丝般缓流，舒展飘逸；如珠帘闪动，风姿绰约。瀑布后有一座陡崖，多为马肺状和片状钙华沉积，凝垂欲滴，色泽金黄，使整个瀑布显得富丽壮观。经太阳余辉点染，反射出不同的色彩，远望如彩霞从天而降，分外辉煌夺目，号称“飞瀑流辉”。

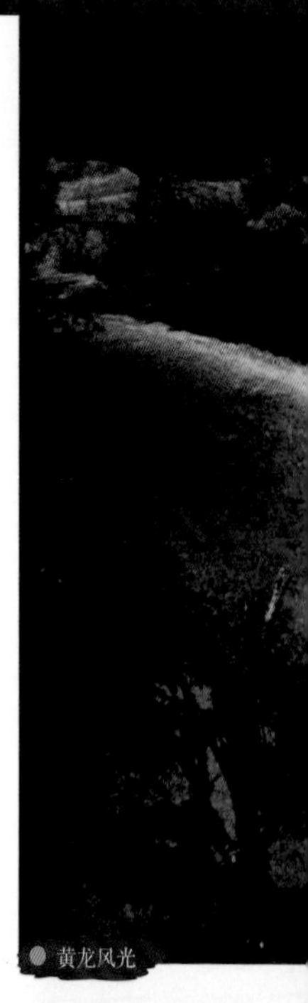

黄龙风光

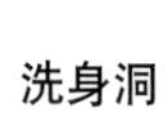

黄龙出山

**洗身洞**

登上黄龙第二台阶，就到古代冰川的一个出水口——洗身洞。溶洞位于一堵40米宽的钙华挂壁下部，洞高约1米、宽1.5米，进洞1米处，布满了浅黄色、乳白色钟乳石。洞口水雾弥漫，飞瀑似幕，传说是仙人净身的地方，不育妇女入洞洗身可喜得贵子。这些传说给洗身洞披上了一层神秘的面纱。

**盆景池**

从洗身洞到婆萝彩池，有一道长约1500米，宽70-120米的钙华流，在目前世界上发现的同类形态中最壮观、最长、色彩最丰富，称为“金沙铺地”。左侧是盆景池，由一组近百个水池组成，池中有池，池外套池。池堤随树的根茎与地势而变，堤联岸接，活水同源，顺势层叠；池

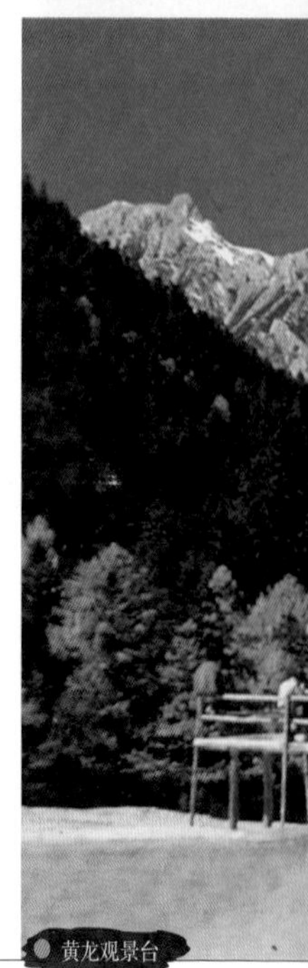

黄龙观景台

## 旅途拾遗

**黄龙的得名:**

有关黄龙的得名与两种说法：一是景以寺名，寺以神名。传说远古助禹治水的黄龙功成身退，隐居于此，修炼成仙而去；一是黄龙主景是一条从山顶逶迤而下的露天黄色钙华堆积体，上面彩池层层叠叠，登高远望，酷似一条五彩斑斓的金色巨龙自皑皑雪峰、莽莽丛林腾空而起，故名。这两种说法都与传说中象征中华民族的“龙”密切相关。

黄龙宝镜

底呈黄、白、褐、灰多种颜色，池面澄净无尘，望若明镜；池旁池中，到处是木石花草，翠柏盘根，山花含笑，野果缤纷。这一片绚丽的景观，俨然天设地造的奇特盆景，使园艺师们也叹为观止。

这一片景观，还有紧傍森林的明镜倒影池、掩映于杜鹃花丛间的婆萝彩池和拥有彩池500多个，钙华景观中色彩最为丰富的争艳池。

**黄龙寺**

距沟口约3. 5公里，有黄龙中寺可让游客休息。据《松潘县志》载："黄龙寺，明兵马使马朝觐建，亦名雪山寺，相传黄龙真人养道于此，故名。有前中后三寺，殿阁相望，各距五里。"

黄龙中寺建筑占地约500平方米。属佛教寺庙，为单檐歇山式造型，古朴雄伟。原有五殿，分别为灵官殿、弥勒殿、天王殿、大佛殿、观音殿，现仅存观音殿及十八罗汉塑像。近年已修葺一新。殿内有茶水、食品以及旅游纪念品等供应。

距中寺约2.5公里为黄龙后寺，亦为马朝觐所建。庙宇随山就势，宏伟壮观，飞格斗拱，雕梁画栋，独县风格。寺门绘有彩色巨龙，上有古匾，正中为"黄龙古寺"，左书"飞阁流丹"，右书"山空水碧"，笔法雄浑，气势端庄。

据《松潘县志》载："禹治水至茂州，黄龙负舟，助禹导水，自茂州而止，始有蜗江……后黄龙修道成仙而去，遗五色山水于世。世人建寺，岁岁朝耙。"

寺前有近万平方米

旅途拾遗

**红军长征纪念碑碑园：**

坐落在松南松红和松潘至黄龙公路的交叉口，元宝山顶。园名为邓小平同志题写。

汉白玉的碑座形似雪山，高24米的碑身为三角立柱体，象征红军三大主力紧密团结，坚不可摧。碑顶上立着近15米高的红军战士像，双手高举，一手握枪，右手持花，象征红军长征的胜利。

黄龙景区内的红军长征碑园

的开阔地，每年举办庙会。寺后约一平方公里范围为黄龙风景区中的“黄金”景区。

**黄龙洞**

黄龙洞位于黄龙后寺左侧约10米处，大小深浅尚未探明。

黄龙沟

进洞十米有一游览大厅，高20米，宽50米，厅内遍布钟乳石，千姿百态。厅左有一石级，上有建于明朝的三尊坐佛，身上披满钙华结晶，为自然与人工完美结合的产物。每年冬季，洞内冰林、冰笋、冰幔、冰瀑构成一幅冰晶画面，景象绚丽。

**“石塔镇海”：**

后寺之背是黄龙沟最高的池群“石塔镇海”。有彩池400余个，石坝造型优美，色彩协调，坝坎呈弧形、双扇形、裙边形，层层交叠，线条流畅。池水随池底、地边的色彩和水的深浅、水底沉积物的不同而色彩各异，斑斓夺目，动人心魄。池中有两对石塔和翘檐石屋顶，池水齐胸，被喻为“人间瑶池”，是黄龙景观中最美、最有特色的景点。水中石塔和石屋建于明代，经历多年，大部分被钙华沉淀埋没。冬季时，整个黄龙玉树琼花，白白茫茫，唯有这里依旧碧蓝。

**转花池**

转花池距“石塔镇海”百米，池面约4平方米，藏匿于绿荫丛中，清澈见底。水下有泉水涌出，旋流在水面掀起涟漪，日复一日，永不枯竭。如果向池中投以鲜花、红叶，会随着波流有节奏地旋转，仿佛陶醉于山水之间，乐而起舞。

彩池生辉，雪峰巍峨，溶洞幽深，灌丛翠绕，登上后山玉

旅途拾遗

**黄龙庙会：**

农历6月15日，相传为黄龙真人修道成仙日。每年农历6月12日——15日，在黄龙后寺举办盛大的庙会，方圆数百里的各族民众聚集在广场上，尽情歌舞，热闹非凡。

翠峰，放眼鸟瞰，“玉蟑参天一径苍松迎白雪，金沙铺地千层碧水走黄龙”的美景，尽收眼底，使人乐而忘返。

阿坝牧归

## 三大草原游览指要

### 川西北大草原

若尔盖大草原、红原大草原和阿坝大草原为川西北三大草原，位于四川省的西北部，邻近青藏高原的边缘。因草原广阔、牧草丰盛，畜牧业十分发达，形成了四川西北部风格独特的草原游牧风光。

若尔盖大草原

川西北三大草原属于大陆性高原寒温带季风气候区，一年只有三个季节，即春、秋、冬三季，独缺夏季。每年的五月下旬到八月下旬是春季，八月下旬到十月底是秋季，十一月初到次年五月是冬季。三大草原属藏人居住区，主要居民均为藏胞，因此藏族风情特别浓郁。

诺尔盖草原上的藏族姑娘

草原牧羊

### 若尔盖大草原

若尔盖大草原是三大草原中最大的一个，位于松潘西北。若尔盖距离甘肃省甘南州府合作250公里，距离兰州531公里，因此，若取道松潘去大西北，或从松潘前往丝路旅游，若尔盖是必经之地。从大西北来九寨旅游也必经若尔盖。

若尔盖大草原

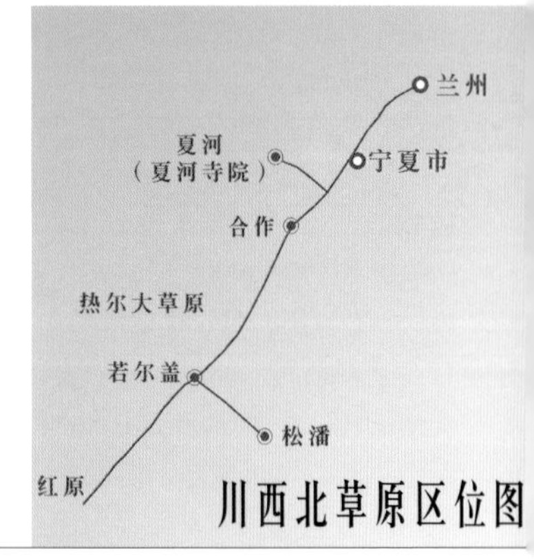

川西北草原区位图

瞧新鲜

若尔盖县按其自然地形可分成东西两大部分。西部是一片水草茂盛而丰美的天然牧场，一望无际，辽阔无垠，共80多万公顷。在这片草原上，藏民放牧着近百万头绵羊及牦牛。这里还栖息着丹顶鹤、黑颈鹤、白天鹅及高原旱獭等珍稀动物，其中唐克河曲马是全国三大名马之一。东部则到处是高山峡谷、丛林密布、古木参天，矿产资源极为丰富，泥炭、金、铀等不仅储量大，而且品质良好。

若尔盖大草原中的重要风景点有：九曲黄河第一湾、降札温泉、八七会议遗址、黑河旅游村、格尔底寺院等。

**红原大草原**

红原，位于四川省西北阿坝藏族羌族自治州的中部，是一个藏族聚居的纯牧业县份。过去，这里并没有红原这个县镇，当年红军长征时经过这片草原，并在此休息、驻扎。经过不断的开垦、建设与发展，最后形成了今日红原县镇的规模。为了纪念当年红军长征经过这里以及对这片草原的开

红原草原

若尔盖草原上的牧民

阿坝烟云

草原神庙

千佛何处寻

负重

红原上的牧羊犬

山间铃响马帮来

垦和建设，1960年国务院把它命名为红原县。红原县城四周都是绿草如茵的大草原、黑白相间的帐篷，以及黑白点点的牛、羊、马群。

红原大草原的天然牧场总面积有7400多平方公里，虽然没有若尔盖大草原的广阔，但由于红原刚好坐落在四周大草原的中心点，因此，到四川西北旅游的游客，如果要领略草原风光，大部分都会先想到红原。

红原最有名的藏传佛教寺庙是阿木柯河的麦洼寺院和达格则寺院。这两座寺院距离红原都有几十公里。

红原最有名的节日就是“七一”赛马会。漫山遍野的马匹与人群在绿草如茵的草原上构成了壮观的场面。

### 阿坝大草原

阿坝大草原位于川西北大草原的最西部。原来是阿坝州的州府，因此这个州就被称为阿坝。

阿坝最热闹的节日要算一年一度的“札崇节”。每年六月五日开始，庆祝活动延续达三天之久。“札崇”的藏语意思是“土陶器市场”。他们除了利用这个节日洽谈商品贸易外，还举办各种比赛和表演会，如赛马、赛驴、赛毛驴和骑术表演等。

阿坝城内主干道的右侧有一座建筑规模颇大，占地颇广的寺院，称为格尔登寺院。这是阿坝地区最大的一座喇嘛庙，也是三大草原中最接近市区的一座大寺院。寺内有一座佛塔，在蓝天白云的衬托下，显得孤高出世。

# 迷幻的童话世界

## 九寨沟概览

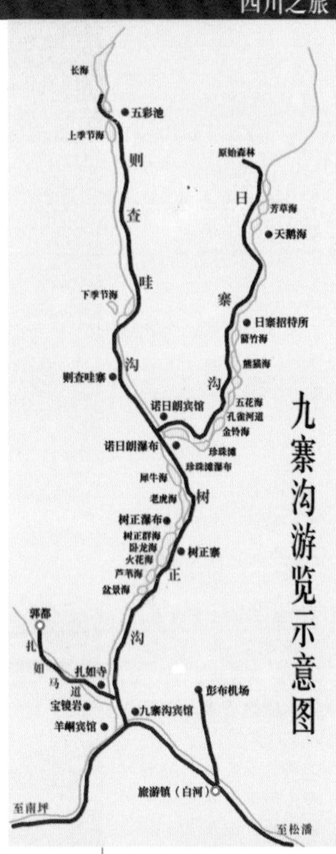

九寨沟游览示意图

九寨沟位于岷江上游阿坝州南坪县境内，面积600平方公里，因沟内有九个藏族村寨而得名。1982年被国务院批准为国家级重点风景名胜区，1991年被联合国教科文组织列入《世界自然遗产名录》。

相传，主管草木万物之神比央朵明热巴有九个聪明勇敢、美丽善良的女儿，来到十座雪峰上空，见蛇魔在水中投毒，人畜倒毙。她们打败了蛇魔，留下来与九个藏族男子结婚成家，一起重建家园，以后形成九个部落，分居九个寨寮，因此这里就被称为“九寨沟”。

九寨沟以原始的生态环境，一尘不染的清新空气和雪山、森林、湖泊组合成神妙、奇幻、幽美的自然风光，原始而神秘，被誉为“童话世界”、“人间仙境”。

九寨飞流

## 对外交通

目前为止以汽车为主，无火车、轮船，飞机航线可望2007年开通，班机型号为A320为主。

## 区内交通

九寨沟内为加强环境保护，实行观光车循环制。(观光车以公共汽车形式运行)

## 游程设计

一日游：上午：游树正沟，于诺日朗宾馆午餐；

下午：游日则沟，返回沟口食宿或去黄龙寺。

二日游：第一天：上午游树正沟至树正寨午餐，下午游树正寨至诺日朗并在此食宿；

第二天：上午游日则沟，于日则宾馆处返回诺日朗，下午乘车游则查洼沟后返回沟口食宿或去黄龙

三日游：第一日：游树正沟(可去扎如马道溜马)夜宿诺日朗；

第二日：游日则沟(可去剑岩原始林景区)；

第三日：游则查洼沟。

七色湖

独木撑天

九寨沟最美的季节是秋季。秋季来到九寨沟，可充分领略到九寨七绝：秋色、彩叶、蓝湖、倒影、飞瀑、激流、栈道。九寨七绝独步天下，是美景中的美景，随着不同的季节，不同的时间而变幻。

“五彩缤纷看不足，层林尽染正金秋。”秋季的九寨沟，五彩秋色漫山遍野，仿若置身仙境。秋风吹拂，层林换上秋裳，整个九寨沟如水彩画出，各种色彩相互浸染，艳丽无双。蓝宝石般的湖泊在秋色之中焕发出奇妙的光华，如梦如幻。

九寨沟的秋叶名闻天下。枫树、林夫子、红桦的树叶在秋季显得亮丽娇俏，夹杂着山花、绿叶，五彩缤纷，最让人心醉的是湖边秋叶，亮丽抢眼的色彩交织一处，吸引着人们的视线，不愿移去。

跳“锅庄”

“九寨水，天下美。”108座碧蓝似海的翠湖散落山间，藏人称之为“海子”。传说神勇的山神达戈热恋着美丽的女神色嫫，达戈用风云磨成一面宝镜送给色嫫，而色嫫不慎将宝镜跌落成碎片。108个碎片，化作了108个海子（高原湖泊），成为九寨沟最美丽的108个景观。湖泊或聚或分，群如珠玉相连，离如空谷明珠。湖水呈孔雀蓝色，蓝得浓厚，无风时湖面如镜，清新发亮，让人不敢相信大自然竟能调出如此色彩。

九寨美、美在水

人说桂林山水甲天下，漓江倒影最奇绝。九寨沟的倒影比之更为绝妙，只缘身在深山，不为外人所觉。晨雾之时，山岚云雾一同入水，幻化出“山托水，水浮山”的画面；金秋时节，秋叶入水，湖面上下一片灿烂。

九寨沟大熊猫

九寨沟共有瀑布15个，分布于山巅、悬崖、山谷之间，或腾空飞坠，气势磅礴；或依山而下，层层叠叠；或穿林而出，飘逸动人。走在山林之中，处处可闻。

九寨沟的水景可与秋色相比。清泉自高山流下成为瀑布，冲至谷底相互激荡，形成青绿色的激流。激流沿着河道呼啸而过，最后流入海子。一层层，一道道，湍流不息，在开阔处汇成浅滩，在凹凸不平的地面上卷起水珠，仿若珍珠跳跃在浅滩上。

九寨沟遍布着瀑布、激流、浅滩和海子，这些景点由长长的栈道串起，为九寨增添了别具一格的山野风光。熊猫海至五花海之间的幽林栈道长约3500米，精彩绝伦。步入栈道，穿行于湖光山色之间，眼

翠湖春晓

银湖碧波

观美景，耳闻水声，呼吸着洁净无比的空气，好似置身于画廊。

自古以来九寨沟就隐藏于崇山峻岭之中，不为人觉。居住在此的藏民自给自足，与外界绝少来往，直到一为旅游者无意中经过，惊诧于这神奇的山水，才引起政府的注意。1978年这里成为自然保护区，1984年才正式对外开放。现已开发出二滩、三沟、四瀑、十八群海。最著名的景点有剑悬泉、芳草海、天鹅湖、剑竹海、熊猫海、高瀑布、五花海、珍珠滩瀑布、镜海、诺日朗瀑布、犀牛海、树正瀑布、树正群海、卧龙海、火花海、芦苇海、留景滩、长海、五彩池、上下季节海等。

藏民饰物

九寨沟藏戏——乌王

## 主要住宿点

新九寨沟宾馆
地址：九寨沟县漳扎镇
电话：7734777

九寨沟宾馆
地址：九寨沟
电话：7734024

棠中宾馆
电话：7734399

九寨贵宾楼
电话：7734084

九龙宾馆
电话：7734155

九鑫宾馆
电话：7734095

九安宾馆
电话：7734298

木屋宾馆
电话：7734127

天鹅宾馆
电话：7734011

麟祥源酒店
电话：7734030

## 九寨沟游览指要

九寨沟已开树正、日则、则查洼、扎如4条旅游风景线，长60余公里，景观分布在树正、诺日朗、剑岩、长海、扎如、天海六大景区，以三沟一百一十八海为代表，包括五滩十二瀑，十流数十泉等水景为主要景点，与九寨十二峰联合组成高山河谷自然景观。四季景色迷人。动植物资源丰富，种类繁多，原始森林遍布，栖息着大熊猫等十多种稀有和珍贵野生动物。远望雪峰林立，高耸云天，终年白雪皑皑，加上藏家木楼、晾架经幡、栈桥、磨房、传统习俗及神话传说构成的人文景观，被誉为“美丽的童话世界”。

九寨沟大门

沟外风景区：**淦海池**

经松潘入九寨沟，过白河、九道拐后，便来到九寨沟外的一个游览区——淦海池。

淦海池是入沟前的一个景区，虽无飞瀑蓝湖，但秋色、彩叶比九寨沟内毫不逊色，更有一片九寨沟内看不到的大草原风光。淦海池可说是仙境的缩影，缓缓的溪流透出沉静的柔美，草原上成群的牛马悠然进食。金

林间湍溪

### 主要购物点

九寨水晶

地址：九寨沟县干海子

### 娱乐场所

娱乐场所主要是酒店的配套设施。在九寨沟可以观看当地的民俗风情表演。

### 土特产品

虫草、贝母、青稞酒、酥油茶、当归、黄连、天麻等

### 医疗急救

九寨沟医疗条件简陋，有望在2000年全面解决。

### 邮政电讯

邮政编码：624000

长途区号：0837

秋时节，秋色满山，群山云雾笼罩，美不胜收。山脚下牛马成群，风光绝妙，令人兴起纵马狂奔之兴。

如经南坪到九寨沟，将错过这一美景，所幸这里离九寨沟不远，可在沟内包车前来。

### 树正沟风景线

树正沟是九寨沟风景区内一条主要的旅游路线。从沟口起到诺日朗，全长14公里。

### 沟口

这里是入沟的第一站，九寨沟管理局、九寨汽车站均设在这里。

沟口海拔2040米，是九寨沟风景区的大门。地势较为低洼，沟口外有一条激流经过。由沟口购票进入大门，有一段五公里长的柏油路，伴随着一道奔向沟口的激流，直通荷叶寨。

### 荷叶寨

九个藏族村寨中最大的一个，建有一片藏族风格的旅馆，以田野风光著称，秋色格外迷人。道口有一棵百年古松，苍劲挺拔，被命名为迎客松。

### 盆景滩

过荷叶寨前行，便来到一片浅滩。浅滩布满了白杨、杜鹃、松柏、柳树，水在滩上林间流过，滩中的树木风姿飘逸，千姿百态，水色碧莹，如翡翠花盆，整个景象如一座巨大的盆景，盆

### 气候着装

九寨沟海拔约3000米，属高原湿润气候，山顶终年积雪。

九寨沟降雨少而集中（年降雨量不足600 mm），7月、8月是典型的雨季。

春天　气温较低且变化较大，平均气温多在9℃至18℃之间，4月前有冻土及残雪。

夏天　气温回升较快且稳定，平均气温在19℃至22℃，夜晚较凉，宜备薄毛衣。

秋季　天高气爽、气候宜人，气温多在7℃至18℃，昼夜温差较大，特别是10月后的深秋白天可穿两件衣服甚至单衣，到了夜晚就得穿毛衣甚至防寒服了，10月下旬即有冻土出现；

冬季　较寒冷，有冻土(最深达50cm)，积雪(最深达15cm)气温多在0℃以下。

景滩之名由此而来。过去，游客可以下滩踏水，1992年起，为保护景点的自然环境，九寨沟管理局已经禁止游客下滩踏水了。

九寨沟各月平均气温：

| 月份 | 温度 |
| --- | --- |
| 1月 | 3.0℃ |
| 2月 | −1.0℃ |
| 3月 | 3.9℃ |
| 4月 | 9.0℃ |
| 5月 | 11.8℃ |
| 6月 | 14.3℃ |
| 7月 | 17℃ |
| 8月 | 16.4℃ |
| 9月 | 12.4℃ |
| 10月 | 8.3℃ |
| 11月 | 2.3℃ |
| 12月 | −2.7℃ |

### 芦苇海

进入九寨沟后的第一个海子就是芦苇海，过了盆景滩就能看到。芦苇海全长2.2公里，是一个半沼泽形态的湖泊，海中芦苇丛生，一股水色翠绿、晶莹透明的清流从成片的芦苇中婉蜒流过。春夏时节，清流芦苇同色，满眼碧绿；秋冬之际，芦苇一色金黄，如黄金盘上的一道翡翠，让人惊诧，甚至不敢相信大自然的色彩竟能对比如此强烈。

### 双龙海

双龙海在芦苇海之上，火花海叠瀑群之下，透过澄碧晶莹的湖水，可以见到海中有两条生物钙华礁堤，就像藏于海底的两条蛟龙，顾盼生风，随时要腾空而起，飞入苍穹。

### 火花海

火花海位于双龙海与卧龙海之间，湛蓝色的水面上，

九寨沟芦苇海

## 注意事项

景区主要分布在少数民族地区，注意尊重当地的少数民族风俗习惯。

## 管理机构

阿坝州旅游局

地址：马尔康县城关团结街

电话：2823036

九寨风光

## 名人题咏

雄关要让八达岭，
翠海应归九寨沟。
翠峰无墨画，
银瀑有声诗。
李半黎

“水静云动，光景变幻，我仿佛进入画里，人和画浑然一体了，说也说不出它的美妙来。”
陈复礼

“九寨沟人间仙境，亲眼见名不虚传。”
王任重

卧龙海瀑布

波平如镜。海子的四周是茂密的树林，湖水掩映在重重的翠绿之中，像是一块晶莹剔透的翡翠。当晨雾初散，晨曦初照时，湖面会因为阳光的折射作用，闪烁出朵朵火花。

### 卧龙海

小巧玲珑的卧龙海是蓝色湖泊的典型代表，极浓重的蓝色醉人心田。湖面水波不兴，宁静和详，像一块光滑平整、晶莹剔透的蓝宝石，捉住游人的视线。

相传古时候，附近黑水河中的黑龙，每年都要九寨百姓供奉九十九天方才降水。白龙江的白龙同情百姓，欲给九寨送去白龙江水，遭到黑龙阻挠，二龙争斗，白龙体力不支沉入湖中。万山之神赶来降服了黑龙。然而白龙无力再回白龙江，日久便化为长卧湖底的一条黄龙。人们怀念它，就叫此海“卧龙海”。

树正群海

树正飞瀑

树正珠帘

海子四周长满了各色花草树木，春夏季节一片翠绿。秋风起时，满堤秋色，红叶绿树倒影于湖光山色之中，美不胜收。

卧龙海底有一条乳黄色的碳酸钙沉淀物，外形就像是一条沉卧水中的巨龙，栩栩如生。湖面平静时，透过清澈的湖水，卧龙如同沉睡水底，任由人们欣赏；微风轻拂湖面，阵阵涟漪泛起，龙身仿佛在徐徐蠕动；风势稍强时，湖面波浪起伏，卧龙就象乍被惊醒，摇头摆尾；如果山风强劲，平静的湖面瞬间破碎，卧龙会刹时消失得无影无踪。

## 旅途拾遗

**九寨沟大熊猫趣闻：**

大熊猫是世界上最珍贵的动物之一，被称为活化石，目前仅存1000只左右。素有“童话世界”之称的九寨沟是大熊猫生长的乐园，原始森林中栖息着为数不少的大熊猫。1980年被确定为大熊猫保护区。

大熊猫被九寨沟的藏族同胞称为董尕，相传是九寨沟一位神通广大的喇嘛的坐骑，世世代代受到特殊保护。董尕山上有一座土庙，供奉了一尊泥塑的大熊猫像。

夏季，大熊猫爱到小河沟或海子边喝水。大熊猫饮水，如醉汉贪杯，它一边饮水，一边聆听水声，欣赏水中身影，悠然自得。喝足离开时，若听到水声又返回再喝。如此周而复始，胀得不能再喝才肯离去。有时，大熊猫喝多了水，就“醉”倒海边酣睡。醒后再喝、再听、再看、再“醉”，憨态可掬。

名人题咏

九寨沟有山水、石木、禽兽、花草，集自然美境于一体，诚旅游之胜地也。

荣毅仁

自然的美，美的自然；人间天上，天上人间。

魏巍

## 树正群海

树正群海由二、三十个大小海子呈梯田状群集而成，前后连绵数里，上下高差近百米。柏、松、杉等翠绿树木密布于湖泊周围。湖水自上游翻堤而过，在树丛中穿流，跌落在下一层的海面形成叠瀑，激起银色的浪花，喧闹着直奔下游而去。这一道道的叠瀑与激流串起树正海中的各个海子，动静相隔。群海不仅高低层次分明，色彩也是层次分明，绿树绿得青翠，蓝海蓝得浓稠，叠瀑与水花白得轻盈，尤其是那绿中套蓝的色彩最为动人。

群海之中，一道长长的栈桥横跨浅滩而过。游人漫步于栈桥之上，悠闲地欣赏那浅滩上的激流及群海。栈桥旁有一座充满藏族情调的磨坊，磨坊旁边是一幢转经房，转经房下的木轮在激流带动下旋转，虔诚的藏民常常来此拜神念经，绕转经房步行转经。

树正之树

海子、浅滩、棱桥、瀑布、磨坊以及转经房，正合“小桥、流水、人家”中的意境，构成了一幅恬静纯朴的田野画面。

## 树正瀑布

树正瀑布在树正群海的上游游人如织的树正寨前公路旁。瀑布宽62米，高15米，是入沟见到的第一个瀑布，也是九寨沟四大瀑布中最小的一个。虽然最小，但也能让初游九寨的人来惊心动魄。

上游的湖水沿著浅滩四处漫流，被水中的树丛分成无数股水流，最后汇集到树正瀑布顶端的山崖边，奔流坠落，水雾四散，构成了神采飘逸，气度雍容的一片水帘。

瀑布跌落后，水流往左侧汇成了一道汹涌澎湃的激流。滔滔白浪跳跃着一直往下游的磨坊奔流而去，不断推动下游磨房和转经房的木轮。

树正磨坊

## 树正寨

树正寨是九寨沟中最主要的投宿中心之

一，从寨前的小广场到公路下面的河谷群海，到处都是群集留连的游客。站在树正寨前俯视河谷，可以看到如珠链玉串般的树正群海。投宿在树正寨的旅馆中，就像是住进一幅山水画中。

树正寨中，四处林立着藏族风情的旅馆。寨前有一座金黄色的佛塔，是藏民拜神念经的场所。寨里面到处飘扬著具有藏族特色的经幡。

树正寨的后面，有一座海拔4200米的高山，这就是九寨沟藏民最崇拜的神山达戈男神山。在九寨沟人的心目中，树正沟的达戈男神山和日则沟的色嫫女神山是最有权威的神灵，为九寨沟藏民所崇拜。达戈男神山位于九寨沟的西北面，另一座色嫫女神山位于东南面，两山遥遥相对。

九寨秋韵

传说达戈、色嫫本是九寨沟的一对恋人。一年，雪山王毁去了九寨沟的山林湖泊。达戈去雪山寻找能造山林绿海的绿宝石。雪山王暗中给他喝下迷魂汤，使他忘记色嫫，爱上了雪山王之女宝雪公主。色嫫的热泪唤醒了他，也感动了公主。公主帮助他们找到绿宝石，九寨沟恢复了从前的美丽。雪山王前来报复，达戈和色嫫吞下绿宝石，变成两座高山，挡住了雪山王的进攻。从此这对神山情侣，共同守护著九寨沟的森林海子，使得九寨沟山山水水的美景长留人间。人们感谢达戈与色嫫，每年除了固定的转山会期间朝拜外，婚娶、节庆或有灾祸时，都要来烧香祭祀，祈求吉祥。

**犀牛海**

离开树正寨往上行，便看到一座长约2公里，水深18米，海拔高度2400米的海子。这是树正沟最大的海子犀牛海。犀牛海的南端有一座栈桥通往对岸。

犀牛海是九寨沟中景色变化最多的海子之一，其倒影几乎是众海之冠。每天清晨云雾飘渺时的云雾倒影，亦幻亦真，

犀牛海

让人分不清哪里是天，哪里是海。湖岸四周的彩叶也是亮丽多姿，艳冠群芳。

犀牛海水域开阔，北岸的尽头是生意盎然的芦苇丛，南岸的出口既有树林，又有银瀑，中间一大片是蓝得醉人的湖面。犀牛海的这一片山光水色，能让游客留连忘返。

传说古时候，有一位身患重病、奄奄一息的藏族老喇嘛，骑着犀牛来到这里。当他饮用了这里的湖水后，病症竟然奇迹似的康复了。于是老喇嘛日夜饮用这里的湖水，舍不得离开，最后更骑着犀牛进入海中，永久定居于此，这个海子便被称为犀牛海。

离开犀牛海继续上行，经过一段漫长的路途后，便到达树正沟的末端、九寨沟中最大的游客聚集点——诺日朗招待所。从诺日朗往右前方走是日则沟，往左前方走就是则查洼沟。

### 日则沟风景线

日则沟风景线全长18公里，在诺日朗瀑布和原始森林之间，是九寨风景线中的精华部分。风光绝美，变化多端。

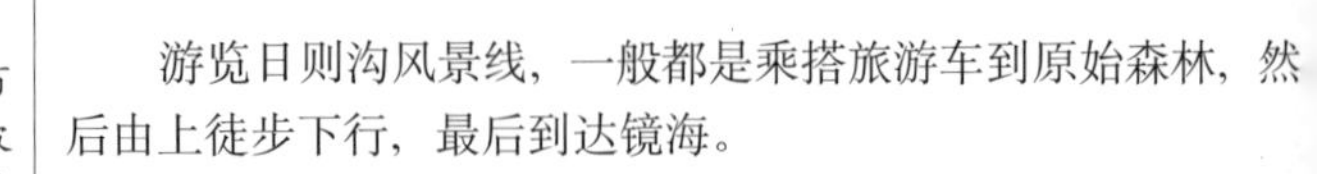

九寨沟原始森林

游览日则沟风景线，一般都是乘搭旅游车到原始森林，然后由上徒步下行，最后到达镜海。

### 原始森林

九寨沟有面积广大的原始森林，日则沟最顶端尽头处的一片原始森林，就是其中的一部分。置身林间，脚下踩着深厚柔软的苔藓落叶，鼻子嗅着芬芳潮湿的空气，耳朵听着松涛与鸟语，身上拂着野林山风，眼中看着林木葱郁，游人好似来到另一个世界，顿时有种超凡脱俗的感觉。

### 名人题咏

婉蜒弛千里，洞天作梦游。幽谷镶嵌魔镜，海底现蜃楼。雪山彩林倒挂，匹匹银瀑飞流，霞光照素绸。百鸟迎宾客，熊猫金丝猴。

红松艳，冷杉俊，箭竹柔，奇花异草缤纷，地毯展锦绣。天府何处仙宫，岷山丛中寻求，天仙早恭候。峨眉天下秀，稍逊九寨沟。

胡绩伟　《水调歌头》

串串彩镜五色鲜，排排玉柱鼓乐喧；葱葱绿洲漫白浪，海连瀑布瀑连滩。

远峰银冠近披翠，蓝天碧水两雪山；百里幽谷铺锦缎，幅幅神画醉诗仙。

胡绩伟《九寨风光》

传闻瑞士风光好，任老深夸九寨沟。有幸此生临胜景，人间不愿再重游。

王朴安

千年古柏齐天绿，百里新松遍地青。翠树银波舒画意，蓝湖彩影蕴诗情。

古今过客谈观止，中外游人论满盈。莫道巫峡云带雨，只缘神女梦南坪。

李半黎

九寨天鹅海

## 名人题咏

我过去知道四川省是一个非常美丽的旅游省份。今天来到这个天下无双、群山起伏的谷地，感受到了这意外的收获。我从未想到四川北部，中国的心脏，还能发现一处能与瑞士风光匹敌的胜地。

韩素音

以最神妙的艺术技巧，把祖国最幽美的山水，装点成最迷人的旅游胜境。

胡耀邦

沟间瑶池海连海，山头玉龙峰接峰。

方毅

九寨沟是个丰富多彩的博物馆，是实力雄厚的基因库。

波士曼

### 剑岩悬泉

剑岩是一座高度达500多米，形如宝剑直刺蓝天的拔地孤峰，从原始森林往下走就能看到。剑岩面向芳草海的一面，有一股泉水自半山腰处垂直泻落，如白练悬空，沿著山岩飘洒而下，高度达130多米，人称悬泉，传说是女神色嫫寻找男神达戈时落下的相思泪水。

### 芳草海

芳草海得名于修长湖面上的萋萋芳草。这里清幽宁静，芳草与倒影相映成趣，间有水鸟悠游其间。若是在下雨季节，冒雨游览，更是别有情趣。

### 天鹅海

天鹅海在九寨群海中比较特殊。它与芳草海的下游相连，广阔的湖面大部分已淤积成浅滩，为半沼泽湖泊。浅滩上绿草如茵，一道清流在绿茵中婉蜒流过，滋养着这一方水草。

天鹅海静静地躺卧在山谷里，湖面泛着晶莹色泽。四周是苍绿的山林和繁盛的花木，空灵静寂。这一带水草肥美，故引得生性孤高的天鹅钟爱，常常在这里栖息繁殖。天鹅来时，常在湖面悠然自得，缓缓游动，因此这个海子就被称为天鹅海。天鹅是一种候鸟，随着季节的变换而去留，游人并不容易见到天鹅的行迹。

九寨美景

### 鹰爪洞

鹰爪洞在临近天鹅海的路边。这里流传着藏族英雄格塞尔王的故事。传说九寨沟以前有一个作恶多端的魔鬼，经常欺榨沟内的百姓，给九寨沟带来各种天灾人祸。格塞尔王决心为民除害，铲除这个魔鬼。双方在鹰爪洞内展开了一场惊天地、泣鬼神的大战，最后，格塞尔王终于消灭了魔鬼。洞内墙壁上的50多处鹰爪痕迹，相传就是格塞尔王搏杀魔鬼时留下的。

### 日则招待所

日则招待所位于日则沟的中间。从鹰爪洞到日则招待所有数里之遥，游人可以悠闲的在这一段路散步，欣赏两旁的景致，放松精神，开阔心胸。

招待所附近景致迷人，值得细细浏览。最令人销魂的是这里的秋色，让人如痴如醉，留连忘返。招待所左侧有一棵枫树，仲秋时节，满树的红叶灿如火把，耀眼夺目。

从日则招待所到箭竹海的一段路，是旅途漫步的绝胜处。两侧山坡上，景色动人，人行其间，如同在翻阅画卷，美不胜收。

### 箭竹海　熊猫海

箭竹是大熊猫喜食的食物，箭竹海湖岸四周广有生长，是箭竹海最大的特点，因而得名。

箭竹海湖面开阔而绵长，水色碧蓝。倒影历历，直叫人分不清究竟是

名人题咏

莫道君行远，相约下南坪。苍山林海云杉，百里竞相迎。慢说山高万仞，我自乘风飞去，暮色落荒城。回首高原渺，弓杠入云深。

溯幽谷，探长海，妙天生。林间瀑布奔腾，丛柳水中分。倒影水晶宫壁，清澈洞天玉柱，池暗五花明。九寨神仙境，白发不虚行。

《水调歌头》

熊猫海

山入水中还是水浸山上。

箭竹海下坡不远处便是熊猫海。大熊猫被视为吉祥之物，深得九寨沟藏民的钟爱。据说九寨沟的大熊猫最喜欢来这里游荡、喝水、觅食，因此这一片海子被叫做熊猫海。海中还有一块白石头，黑纹天生，极像是一头憨态可人的大熊猫。

熊猫海海水澄澈，倒影清晰，与箭竹海相似。尤其是在风和日丽的晴天，湖上蓝天白云，岸边层林相间，湖畔群峰静立，倒映水中，一片迷离景象。

熊猫海拉开了日则沟景点的精华序幕，从这里而下，精彩景点美仑美奂，层出不穷。

**熊猫海瀑布**

熊猫海瀑布总高度达80米，以高峻著称，在九寨沟瀑布中是落差最大的一个。

游客从熊猫海北侧的栈桥走到尽头，沿着一段向下的陡峭栈梯缓步而下，可以看见右侧有一道飞流自栈桥下的熊猫海口飞扑而出，直落深谷。这道飞流又被悬崖下凸出的岩壁和巨石截成数段，数节叠瀑一气呵成。这道瀑布就是熊猫海瀑布。

**名人题咏**

晓来晴，群山沐遍朝霞。看层层云杉滴翠，琼湖百块无瑕。也没有三秋桂子，也没有十里荷花。浓抹何须，淡妆可免，倍胜西子未为奢。端的是瑶池月下，处处耀光；穿标下，银河仙子，群戏喧哗。

看琼浆汇成花海，向人无限矜夸；似天成珊瑚作底，似镶就翡翠浮花；镜海清澄，婆娑倒影，水宫诸佛弄袈裟；更可爱，珍珠滩上，舞步如旋车。留连外，东山披月，江上笼纱。

刘田夫　《咏四川九寨沟》

五花海

九寨箭竹海

站在栈梯上，从瀑布顶端俯视，就好像是站在天际云端。这一道跌落深谷的飞瀑，在谷底汹涌澎湃一番，最后汇集成一股强劲的激流，沿著谷底的河道狂啸而去，声势巨大，如万马奔腾。栈梯下接有一段坡度较为平缓的下行栈道，栈道沿着激流而建，人走在幽静的栈道中，欣赏着气势如虹的激流，山动水静，对比强烈。

栈道中点缀着一些为观景休憩而设的亭台，亭台建设多具有山林乡野的风韵。从这里开始，进入一片幽林，一直到五花海的出海口，称为幽林栈道。

**五花海**

有“九寨沟一绝”和“九寨精华”之誉的五花海，位于日则沟孔雀河上游的尽头。

沿著幽林栈道，一路下坡而去，穿越幽林，不久便到达五花海。绕过五花海的西侧，有一段栈道是欣赏水光秋色的绝佳点。游人可在此驻足。沿著栈道继续北行，到达五花海的北岸。穿出幽林，沿栈道右拐，顺五花海的北侧湖岸向东前行，经过一片空旷、平缓的山坡地很快就到了栈道的终点。这里是五花海的出水口与孔雀河道的交接点，上建一座栈桥。栈桥南侧的湖面，水色斑斓，墨绿、宝蓝、翠黄的色块混杂交错，五光十色，似孔雀彩翅；栈桥北侧，河湾状如孔雀头颈，三株古树似顶戴花翎。因此从这里以下被称为孔雀河道。沿著孔雀河道的左岸北行约一百米，越过河道便上到环山公路。从这段公路俯视五花海，景色更加令人叫绝。沿环山公路往东南方向，就到了五花海东南侧的最高点。这里有一块巨大的石头，称为老虎石。站在老虎石上俯视，可以观察到五花海的全貌。

五花海是九寨沟诸景点中最精彩一个。四周的山坡，入秋后便笼罩在一片绚丽的秋色中，色彩丰富，姿态万千，独霸九寨。五花海的彩叶大半集中在出水口附近的湖畔，一株株彩叶交织成锦，如火焰流金。含碳酸钙质的池水，与含不同叶绿素的水生群落，在阳光作用下，幻化出缤纷色彩，一团团、一块块，有湛蓝、有墨绿、有翠黄。岸上林丛，赤橙黄绿倒映池中，

**名人题咏**

长海滩头一古松，半面残枝斗霜风。生成傲骨不低头，自与杂木两不同。

任陈文　《长海古松》

山林叠翠舞飞花，微波碧水逐紫霞。白云蜿透通瑶池，清泉飞瀑入仙家。

巨松迎宾无限意，九寨留客东道情。添色增彩绘瑰宝，惊宇再聚叙春华。

人民日报记者

一片色彩斑斓，与水下沉木、植物相互点染，其美尤妙，故得名五花海。九寨人说：五花海是神池，它的水洒向哪儿，哪儿就花繁林茂，美丽富饶。

**孔雀河道**

从五花海出水口的栈桥登上环山公路，沿著公路下坡，左侧深谷里的一条河道就是孔雀河道。

孔雀河道蜿蜒而行，两侧杂生花树，一到秋天，两侧的林木尽染霜色，深秋的落叶布满了整条河川。两岸层林尽染，从高处俯视，一道斑驳的激流牵着一个彩色的世界，像是孔雀开屏时艳丽的尾巴。

**名人题咏**

剑雄夔险独青幽，秀数峨眉冠益州。突起名山清更奇，洞天长海两悠悠。

何郝炬

危岩隐在飞瀑间，人说此处有神仙。几处匹练遮风雨，几处日来挂珠帘。

四川省地方志编委会　任陈文　《诺日朗瀑布》

**珍珠滩**

顺着环山公路一路下行，左侧渐渐出现一片坡度平缓、布满了各种灌木丛的浅滩。这一片浅滩就是珍珠滩。浅滩布满了坑洞，沿坡而下的激流在坑洞中撞击，溅起无数朵水花，在阳光照射下，点点水珠就像是珍珠洒落，珍珠滩之名由此而来。

珍珠滩

横跨珍珠滩有一道栈桥，栈桥的南侧水滩上布满了灌木丛，激流从桥下通过后，在北侧的浅滩上激起了一串串、一片片滚动跳跃的珍珠。迅猛的激流在这片宽度约160米的斜滩前行200米，就到了斜滩的悬崖尽头，无尽的激流冲出悬崖跌落在深谷之中，形成了雄伟壮观

遍地珍珠滚滚来

九寨秋色

的珍珠滩瀑布。

### 珍珠滩瀑布

珍珠滩瀑布宽200米，落差最大可达40米，气势非凡，雄伟壮观。瀑布冲进谷底，吼声如雷，卷起千堆浪花，向东狂奔而去。这道激流水色碧绛泛白，是九寨沟所有激流中水色最美，水势最猛，水声最大的一段。激流左侧栈道，是观赏这一股碧玉狂流的最佳点。

踩着栈道，在激流的陪伴下继续东行，就到了珍珠滩东侧。这里的斜滩坡度更大，滩面更为凹凸不平，激流跳跃，景象更为壮观。

### 镜海

离开珍珠滩，沿着环山公路下行，有一片宽阔无比的山谷。山谷空旷，草木丛生，中间一缕清泉婉蜒滑过，流向下游的镜海。小河旁有几户民居，如世外桃源。山谷两侧是雄伟挺拔的山峰，秋天来临时，秋色染林，仿佛有一枝神奇的画笔，肆意将绛红、桃红、暗紫、墨绿、碧绿、鹅黄涂抹在山上。

镜海紧邻在空谷的下游，湖呈狭长形，长约一公里，为林木所包围。对岸山壁像一座巨大的石屏风。右侧是镜海的下游，毗邻诺日朗群海；左侧是镜海上游，与镜海山谷衔接。

镜海的倒影独霸九寨。它就像是一面镜子，将水上的景物毫不失

## 名人题咏

金秋九寨正逍遥，斑斓五色上树梢。群湖泛翠争颜色，叠翠山颠雪岭高。

珍珠滩下如金玉，五色湖中碧影摇。更喜昨夜传佳讯，中华明日更妖娆。

《过九寨沟报有感》

我影投镜海，镜海留我心。白首不相忘，悠悠九寨情。

陈之光

诺日朗瀑布

真地复制到水下来。来游九寨沟的宾客，莫不为镜海倒影的传神而叹为观止。

**诺日朗群海**

诺日朗群海位于镜海的下游，日则沟的端点，由十八个海子组成。流水从镜海出海口越堤而下，跌落河谷形成梯级瀑布，再经过谷底田埂分割。形成了各具风韵的群海。诺日朗群海水色湛蓝，穿林而出的叠瀑使群海五光十色。

**诺日朗瀑布**

诺日朗瀑布落差20米，宽达300米，是九寨沟众多瀑布中最宽阔的一个。

瀑布顶部平整如台，传说以前这里没有瀑布，只有平台。一年，远游归来的扎尔穆德和尚带回了贝叶经、铁犁铧和手摇纺车。聪明美丽的藏族姑娘若依果很快学会用纺车纺线。她把纺车架到三沟交界的平台上，让过往的姐妹们观看、学习，人们便叫这里为“纺织台”。凶残的头人罗扎认为她在搞歪门邪道，一脚把她和纺车踢下山崖。立刻，山洪暴发，把罗扎和帮凶冲下悬崖，纺织台就成了今天的瀑

九寨镜海

诺日朗春色

## 名人题咏

**《秋月情思》**

是月光里流出的
——九寨秋色？
是秋色里流出的
——九寨月光？
漫步金之夜，
赏月照山水画廊；
每个海子，
秋情波荡；
每道瀑布，
仿佛来自秋月的故乡。
山横月色，
树吐幽光，
今夜九寨山水里，
我看见无数个神奇的月亮：
长海的月，
像一位老人，
孤独苍凉；
五彩池的月，
像入水少女。
身着艳装；
镜湖的月，
像初失情恋，
寂寞忧伤；
只有珍珠滩的月，
活泼跳荡；
只有树正群海的月，
梦般迷人花样馨香……
呵，人道心上月，
才有阴晴圆缺
却因何我的秋思，
纷萦在九寨月上？
难怪诗仙，
与月共饮；
难怪东坡，
向青天要月亮。
今来古往，
多少英雄豪杰，
望月思乡……
九寨秋月呵，
丽照秋山秋水，
酿造了我的思想；
假如我“抱明月而长终”，
我将毅然选择你
——长眠于诺日朗瀑布之上

戴安常

布。

藏语中诺日朗意指男神，也有伟岸高大的意思，因此诺日朗瀑布意思就是雄伟壮观的瀑布。滔滔水流自诺日朗群海而来，经瀑布的顶部流下，如银河飞泻，声震山谷。南端水势浩大，寒气逼人，腾起蒙蒙水雾。早晨阳光照耀下，常可见到一道道彩虹横挂山谷，使得这一片飞瀑更加丰姿迷人。

瀑布对面建有一座观景台，站在台上，瀑布全景尽收眼底。秋季时，瀑布的三百米飞流在秋色、云雾的衬托下，化成了一幕波澜壮阔的画面。

长海秋色

### 则查洼沟风景线

则查洼沟长18公里，从诺日朗直到长海，是九寨沟内四条游览路线距离最长、海拔最高的一条游览路线。

### 长海

长海座落在则查洼沟的尽头，海拔3100多米，宽约600米，湖水最深处达百余米，是九寨沟湖面最宽阔、湖水最深的海子。

长海绿波

## 九寨沟、黄龙寺游览区主要藏羌族节庆时间一览表

九寨沟庙会
时间：公历五月一日
流行地区：九寨沟扎如寺

祈祷节
时间：农历六月十五及正月初一至初三两次
流行地区：阿坝地区各寺庙

藏历年
时间：与汉族农历新年大致相同
流行地区：各藏区

扎崇节
时间：农历六月十五至十七日
流行地区：阿坝州县特有的节日

黄龙庙会
时间：农历六月十五（自六月十日至六月廿日）
流行地区：黄龙寺

燃灯节
时间：农历八月十五日
流行地区：阿坝各牧区

观花节
时间：农历元月十八日
流行地区：阿坝各藏区

红军节
时间：公历八月二十五至二十六日
流行地区：松潘县

羌历年
时间：农历十月一日至三日
流行地区：阿坝羌族聚居区

雅敦节
时间：公历七月十五至十七日
流行地区：阿坝藏区

郎则祥隆节
时间：公历七月十五至二十日
流行地区：阿坝羌族聚居区

赛马节
时间：公历七月十五日
流行地区：阿坝大草原红草原

五彩池

长海四周没有出水口，水源来自于高山融雪。奇怪的是，长海从不会干涸，也不会溢堤，因此藏民称之为“装不满，漏不干”的宝葫芦。

长海呈墨蓝色，四周山峦叠翠，对面的群峰，一到初秋便披上了白色的盔甲，中间一座冰峰寒光逼人。北侧入口的湖岸有一棵独臂老人松，造型奇特，一侧枝叶横生，另一侧则秃如刀削。

欣赏长海可由入口的左侧一条向左分岔的小路进入，转到长海的侧面观赏。这里巨松挺拔，满目碧绿，彩叶成林。

冬天长海湖面结冰，是一个银色的童话世界，此时，长海成了天然冰上游乐场，游人可在此尽兴溜冰、跑马。

### 五彩池

从长海往下行1公里即为五彩池。这段山路海拔3000米，五彩池就深藏于山路下边的深谷中。

五彩池虽在九寨沟众海之中最小巧玲珑，然而它的色彩却是最为斑斓，与五花海不相上下。五彩池异常清澈，透过池水，可见到池底岩面的石纹，由于池底沉淀物的色差以及池畔植物色彩的不同，原本湛蓝色的湖面变得五彩斑斓。

### 上季节海，下季节海

从五彩池往下走，很快便到达上季节海。

上下季节海的水量随著季节而变化，秋季时，雨量充沛，湖水饱满，冬春季节，水位渐低，一直到初夏，湖水甚至全部干

## 九寨沟历史

九寨沟古称羊峒、南坪，其建置沿革可追溯到公元前16世纪的商代，距今已有3500多年的历史，自商至秦属氐羌地。从汉武帝元鼎六年起经过三国、魏晋、南北朝、隋唐到宋元，1400余年间，多次变换隶属关系。曾属益州广汉郡和阴平郡甸氐（亦称邓至羌、白马羌）、吐谷浑、宁州、邓州、吐蕃、扶州。明代属松潘卫。清雍正七年筑城于古扶州城南的南坪坝（即今县城所在地），始称南坪，为松潘厅南坪营。

民国初为松潘县的分县，1936年改为松潘县第二区。1949年解放。解放初仍为松潘县第二区，1953年建南坪县，1959年并入松潘县为中心区，1963年复置南坪县，1998年更名为九寨沟县。

## 名人题咏

九寨风光甚斑斓，秋深红叶点苍山。雪压青松松自茂，暴雨倾湖水仍蓝。

四川省地方志编委会　任陈文　《九寨秋色》

镜泊一泓水澄清，神女晶莹一片心。玉人于今知何去，苍山碧海总多情。

四川省地方志编委会　任陈文　《镜湖》

### 九寨沟旅游注意事项

1、川西北山高谷深路险，前往九寨沟旅游，应选择信誉高、服务好，并有丰富高原行车经验的旅行社组团。旅游者如自行驾车更应格外谨慎。

2、随身携带常备药品、方便食品和水，以应付随时可能发生的塌方绕行或阻塞堵车等意外事故。

3、要有足够的御寒衣物。九寨沟为高山气候，即使是夏季也是早晚凉、中午热，因此要注意保暖，特别预防感冒和上呼吸道感染。

涸，湖床上长满了牧草，成为放牧牛马的福地。

上、下季节海之间距离很远，各有特色。

下季节海水色最是湛蓝透明，就好像是鲜蓝的墨水。湖畔的公路旁，有数株高大的林木，一到秋天，叶子转黄，远远看去满树金光。离开下季节海沿着环山公路往下坡走，两侧尽是彩色的层林。公路左侧有一片小山谷，谷中到处都是浓妆艳抹的彩林。

九寨池中木

#### 扎如沟风景线

扎如沟是九寨沟内第四条游览路线。这是一条人文游览线，不但可观赏到藏家的田园风光，还可领略到藏族的民俗风情。

#### 宝镜崖

扎如沟口有一块巨大的石崖，昂然矗立，表面平整，远远

九寨人家

望去，像是一座大屏风。这就是宝镜崖，也称为魔鬼崖。

相传这块石崖是九寨沟的万山之主扎依扎嘎所竖立的一面宝镜，下面镇压着一个残害人民的魔鬼，以使它永世不得翻身。

山巴寺里的转经筒

## 扎如马道

扎如桥横卧在一条弯弯的溪流上，两峰夹峙，苍松环绕，是沟口环山公路与沟内札如马道之间的分界线。扎如桥的建筑特色具有藏族的寺庙风格，清一色采用原木造成，是一座建有桥亭的木结构小桥。桥身、桥柱以及桥上的围栏全部采用原色的木材，甚至连顶盖也是用原色木片搭成，古朴自然。

九寨沟牧民的孩子

这里是扎如马道的起点。扎如马道宽阔、平坦，是游人骑马观光的佳地。从这里租马上路，两旁的藏族田园风光以及山林野景一幕一幕地呈现，如诗如画。

农历每月十五日，附近的藏民都要到九寨沟的扎依扎嘎神山转山朝拜，这条马道是必经之路，热闹非凡。

马放南山

4、注意高山反应。由成都前往九寨沟，一两天之内，旅行者即由海拔四五百米到达三千米以上，加上高原立体气候，冷暖无常，极易发生头晕、头痛、恶心、呕吐等高山反应。这时应减少活动量，卧床休息，或遵医嘱用药。另可预备些强心、利尿、扩张血管的药品，以及安眠药、晕车药等。

5、旅行中多吃米食，多饮茶水或原汁饮料，多吃蔬菜、水果、瘦肉、巧克力等高维生素、高蛋白质和高热能的食物。

急流

名人题咏

山水秀美世无双，
民族歌舞更难忘。
热忱欢迎八方客，
旅游服务争高档。
陈慕华

久闻盛名九寨沟，
今朝有幸寨中游。
山水相接连天碧，
梯度瀑布别样流。
倒映碧波映岑雪，
水中看山山更幽。
泉流山间水环树，
五色荡漾分外秀。
藏羌汉族大团结，
饥寒贫困从此休。
陈俊生《九寨沟有感》

### 扎如寺

扎如寺坐落于扎如马道中途，是九寨沟附近最大、最有名气的喇嘛庙。始建于明朝末年，公元1860年和1892年两次翻修。扎如寺由大殿、藏经楼、乐台、茶房、迎客楼等六部分组成，是一座具有浓厚藏族寺庙色彩的建筑。庙前挂有五色经幡，随风而动。

农历三月十五日是九寨沟藏民的麻芝节，每年都在此举办最大规模的庙会。人们在这里念经拜佛、饮茶喝酒、尽情歌舞。

### 扎依扎嘎神山

扎依扎嘎神山海拔4400米，矗立在扎如马道的尽头。据说这座神山是万山之主，农历每月十五日的转山朝拜以及三月十五日麻芝节，都在这里举行。信徒们成群结队，有的骑马，有的步行，沿着逆时针的方向绕神山转动，祈求神佛赐福。

扎依扎嘎神山附近有许多风景名胜，最近处是扎如瀑布及红池。

扎如瀑布在神山半山腰的密林中。飞瀑穿林而出，跌落悬崖，被四级台阶拦截成四段叠瀑。九寨藏民视之为神水。

红池因周围的山土呈现红色而得名，位于神山转山环山道路的一个山脊下，被藏胞视为神圣的池子。

扎如林道位于扎如桥上方环山公路边，林道总长约500米，道路上松针密布，松香飘渺，曲径通幽，是林间漫步的妙地。

# 世界第一大佛

## 成都至峨眉山途中

苏辙像

苏轼像

北宋文人邵博曾说："天下山水之胜曰蜀，蜀之胜曰嘉州"。

由成都往峨眉，途经乐山地区，古称嘉州，距成都162公里，地处四川盆地西南，风光秀丽，古迹众多，是四川著名的旅游胜地。著名景点有眉山三苏祠、蜀国水乡五通桥、仁寿黑龙滩、乐山大佛等。

这里地灵人杰，文化底蕴丰厚。宋代著名文学家苏洵、苏轼、苏辙三父子，当代著名的文学家郭沫若均诞生于此，为这块神奇美丽的土地妆点上灿烂的光采。

**对外交通**

乐山汽车站

地址：嘉定饭店后侧

汽车客运站

地址：人民东路广场

成都至乐山的高速公路已于1999年12月开通，全长164公里，需1.5小时到达。

**眉山三苏祠**

三苏祠位于眉山县城西南三公里外的青衣江畔，距成都80公里，是北宋文学家苏洵、苏轼、苏辙三父子的故居，著名文化旅游胜地。

三苏祠占地5万余平方米，明洪武年间（公元1368年）改为祠堂，以木构中式平房组成，建筑风格为中国古典园林式，翠竹成林，溪池相接，素有"三分水二分竹"的美称。主要建筑有大殿、启贤堂、瑞莲亭、木假山山堂、云屿楼、济美堂、抱月亭、披

苏洵（老泉）像

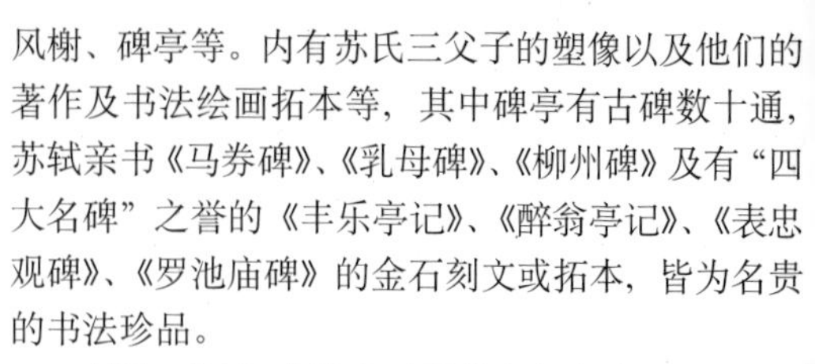

风榭、碑亭等。内有苏氏三父子的塑像以及他们的著作及书法绘画拓本等，其中碑亭有古碑数十通，苏轼亲书《马券碑》、《乳母碑》、《柳州碑》及有“四大名碑”之誉的《丰乐亭记》、《醉翁亭记》、《表忠观碑》、《罗池庙碑》的金石刻文或拓本，皆为名贵的书法珍品。

苏洵、苏轼、苏辙父子是著名的宋代文学家，史称“三苏”，在“唐宋八大家”中占据三席，以散文、诗歌著称，被誉为“一门父子三词客”。

老苏苏洵（1009—1066），字明允，号老泉，四川眉山县（今属乐山市）人。其政论文如《教书》、《衡论》、《几策》等提出了一整套政治革新的主张，“博辩宏伟”，可与贾谊、刘向媲美。

大苏苏轼（1037—1101），字子瞻，号东坡，为宋代最著名的文艺家之一。他自幼聪慧，七岁知书，十岁能文，二十一岁中进士。苏轼成就极高，极具才华，诗、词、文、画、书法均佳，为一代文坛领袖。留有《惠崇春江晚景》、《赤壁怀古》、前后《赤壁赋》、《喜雨亭记》、《超然台记》等诗、词、赋名篇。其绘画与书法也达到很高水平，善画竹石，开创“文人画”一派；书法肉丰骨劲，长于行楷，为“宋四家”之一。

三苏祠“木假山堂”

小苏苏辙（1039—1112），与苏轼一同进京、中进士，擅长政论与史论。曾任大名府推官、河南推官、秘书省校书郎、右司谏、中书舍人、吏部尚书等职，曾出使契丹，回国后任御史中丞、尚书右丞，进门下侍郎，执掌朝政。后因新法派得势被贬。隐居后自号“颖滨遗老”，以读书写作参禅终老。

苏宅古井

### 郭沫若故居

郭沫若（1892—1978）原名郭开贞，因钟情家乡的二大河流沫水与若水，遂改名为沫若。郭沫若是中国现代杰出的学者、

乐山唐塔郭沫若塑像

文学家和社会活动家，学识渊博、才华横溢。他出生在风景秀丽的沙湾镇，其故居坐落在峨眉山麓、大渡河畔的沙湾镇中街，距眉山三苏祠不远，是一座四进木结构的四合院，共36间房，建筑面积达968平方米，系郭沫若先祖于清嘉庆年间自建。这里有郭沫若幼时受母“诗教”的厢房和因封建包办婚姻“受难”的寝室。旧居的后园中有“绥山馆”，是郭沫若童年发蒙和攻读旧学的家塾。他当年曾在此吟出情景交融的绝句“早起临窗满望愁，小园寒雀声啁啾。无端一夜风和雪，忍使峨眉白了头”，才情跃然笔端。现为郭沫若纪念馆，保存有大量文物。

文学巨匠郭沫若

**乐山大佛**

乐山大佛位于乐山市，依凌云山栖霞峰临江峭壁凿造而成，又名凌云大佛，为弥勒坐像，是乐山最著名的景观。

郭沫若手书扇面《严寒驱尽》

乐山大佛开凿于唐玄宗开元初年(公元713年)。当时，岷江、大渡河、青衣江三江于此汇合，水流直冲凌云山脚，势不可挡，洪水季节水势更猛，过往船只常触壁粉碎。凌云寺名僧海通见此甚为不安，于是发起修造大佛之念，一使石块坠江减缓水势，二借佛力镇水。海通募集20年，筹得一笔款项，当时有一地方官前来索贿，海通怒斥：“目可自剜，佛财难得！”遂“自抉其目，捧盘致之”。海通去世后，剑南川西节度使韦皋，征集工匠，继续开凿，朝廷也诏赐盐麻税款予以资助，历时90年大佛终告完成。

乐山大佛局部

佛像高71米，比曾号称世界最大的阿富汗帕米昂大佛（高53米）高出18米，是名符其实的世界之最。大佛头长14.7米，

**主要旅行社**

乐山国际旅行社

地址：乐山市肖公嘴泰和大厦

电话：2134898

乐山大佛

## 主要住宿点

山湾宾馆
星级：三星
地址：乐山市中区碧山路泥溪河18号
电话：2501168

就日峰宾馆
星级：二星
地址：乐山市中区篦子街
电话：2134888

眉山宾馆
星级：二星
地址：眉山县城下西街
电话：8225001

嘉州酒店
地址：乐山市中区白塔街19号
电话：2139888

## 名人题咏

一门父子三词客；
千古文章八大家。
——眉山三苏祠正门楹联

笑古笑今，笑东笑西，笑南笑北，笑来笑去，笑自己原本无知无识；
观事观物，观天观地，观日观月，观上观下，观他人总是有高有低。
——乐山凌云寺联

头宽10米，肩宽24米，耳长7米，耳内可并立二人，脚背宽8.5米，可坐百余人，素有“佛是一座山，山是一尊佛”之称。

大佛依凌云山的山路开山凿成，面对岷江、大渡河和青衣江的汇流处，造型庄严，虽经千年风霜，至今仍安坐于滔滔岷江之畔。

清代诗人王士祯有咏乐山大佛诗“泉从古佛髻中流”。乐山大佛具有一套设计巧妙，隐而不见的排水系统，对保护大佛起到了重要的作用。在大佛头部共18层螺髻中，第4层、第9层和第18层各有一条横向排水沟，分别用锤灰垒砌修饰而成，远望看不出。衣领和衣纹皱折也有排水沟，正胸有向左侧也有水沟与右臂后侧水沟相连。两耳背后靠山崖处，有洞穴左右相通；胸部背侧两端各有一洞，但互未凿通，孔壁湿润，底部积水，洞口不断有水淌出，因而大佛胸部约有2米宽的浸水带。这些水沟和洞穴，组成了科学的排水、隔湿和通风系统，防止了大佛的侵蚀性风化。

仁者乐山

游览大佛景区，可从乐山港搭乘旅游船前往乌尤山，经过凌云山时就可欣赏到这座前依江面、背靠高山的大佛坐像。下船后可在乌尤山游览一番。

乌尤山是古代水利工程一个有名的遗址，原与凌云山相连，相传战国时代太守李冰为了治理大渡河的水害，在两山之间开凿了一条水道，把乌尤山与凌云山分离。山上建有乌尤寺，内有许多名士碑记及数百尊罗汉像。游罢乌尤山，须乘小渡船前往凌云山。

开发乐山舍目护财的高僧

沿大佛左侧的凌云栈道可直接到达大佛的底部。在此抬头仰望大佛，会有仰之弥高的感觉。坐像右侧有一条九曲古栈道。栈道沿著佛像的右侧绝壁开凿而成，奇陡无比，曲折九转，方能登上栈道的顶端。这里是大佛头部的右侧，也就是凌云山的山顶。此处可观赏到大佛头部的雕刻艺术。大佛顶上的头发，共有螺髻1021个，是1962年维修时，以粉笔编号数清的。远看发髻与头部浑然一体，实则以石块逐个嵌就，有明显的拼嵌裂隙，无沙浆粘接。1991年维修时，曾在佛像右腿凹部中拾得遗存螺髻石3块，其中两块较为完整。

南宋范成大在《吴船录》中记载“极天下佛像之大，两耳犹以木为之”。大佛右耳耳垂根部内侧，有一深约25厘米的窟窿，维修工人从中掏出许多腐朽了的木泥。由此可知，长达7

管理机构

乐山市旅游局

地址：乐山市泊水街23号

电话：2131968

眉山地区旅游局

地址：眉山城环湖路215号

电话：8233062

大佛乌尤管理局

地址：乐山市中区篦子街

五通桥区旅游局

地址：五通桥区人民政府

仁寿县旅游局

地址：仁寿县城文林镇西街53号　电话：6202763

乐山大佛阁原型

米的佛耳，不是原岩凿就，而是用木柱作结构，再抹以锤灰装饰而成。在大佛鼻孔下端亦发现窟窿，露出三截木头，成品字形。说明隆起的鼻梁，也是以木衬之，外饰锤灰而成。不过，这是唐代竣工时就是如此，还是后人维修时用这种工艺修补，已不可考证了。

大佛胸部有一封闭的藏脏洞，是1962年维修时发现。封门石是宋代重建天宁阁的纪事残碑。洞里面装着废铁、破旧铅皮、砖头等。据说唐代大佛竣工后，曾建有木阁覆盖保护，以免日晒雨淋。从大佛膝、腿臂胸和脚背上残存的许多柱础和桩洞，证明确曾有过大佛阁。宋代重建之，称为“天宁阁”，后遭毁。天宁阁的纪事残碑嵌在大佛胸部的原因无人能解。维修者将此残碑移到海师洞里保存，可惜于1966年被毁。

大佛头部的右后方是建于唐代的凌云寺，即俗称的大佛寺。寺内有天王殿、大雄殿和藏经楼等三大建筑群。

乐山三江汇合处

凌云山顶现存有海师洞，传为海通修习之所，洞内塑海通像，像高约2米，盘膝而坐，手捧装有眼珠的托盘，面容刚毅，威不可犯。

大佛奇景已经让人叫绝，1990年广东游客所发现的“乐山巨型睡佛”更是神奇。这尊睡佛仰睡在青衣江畔，全长四千余米，佛头、佛身、佛足形态逼真，分别由乌尤山、凌云山和龟城山联襟而成。天下闻名的乐山大佛，端处于巨佛的心脏位置上，正合佛教所谓“心中有佛”、“心即是佛”的禅语。两尊巨佛一坐一卧，佛中有佛，实为天下奇观。观看卧佛的最佳位置在乐山市滨江路“福全门”。

此后不久，乐山市又发现了一尊形态逼真长3000米的巨型“女卧佛”，它由三龟山、东岩山构成。下龟山为女佛的头，下、中龟山间为其颈，中龟山异峰突起犹如其胸，上龟山、东岩山为其双腿。两佛抵足相连。观看女佛位置宜在“福全门”上游百米之内。

**五通桥**

五通桥为一小镇，位于乐山市南25公里的岷江岸边。岷江、茫溪河、涌斯河在此汇集成湖，湖面约20万平方米。

景区集山、水、树、镇四种特点于一身，具有江南水乡特色，景色迷人。镇内河汊密布，舟桥相连，两岸榕树参天，无数的浮桥和铁索桥掩映于树木浓荫之间，古人有诗赞道“烟火万家人上下，风光不应让西湖。”著名画家徐悲鸿更曾将它与土耳其的伊斯坦堡相比美。

五通桥是大陆七大游泳之乡之一，可供游泳的水面面积40万平方米。端午时节龙舟竞渡，锣鼓喧天，彩旗如云，场面极为壮观，使远近游客趋之若骛。

乐山的桥

乐山卧佛

## 对外交通

**火车:**

峨眉火车站可乘座成昆线的各次列车。

117次、165次、205次、207次、621次、819/21次。抵达 西昌、攀枝花、昆明。

118次、166次、206次、612次、622次、820/22次。抵达 成都、重庆、西安、北京。

可乘成都——峨眉山的旅游空调列车，需1.5小时到达。

**汽车:**

峨眉——成都：每半小时一趟

峨眉——重庆：直达班车每天数趟

峨眉——乐山：班车每十分钟一趟

成都至峨眉山的高速公路已于1999年12月开通，全长164公里，需1.5小时到达。

峨眉山旅游汽车联运有限公司

地址：报国寺

电话：5591299

# 峨眉天下秀

## 峨眉山概览

峨眉风光

峨眉山古称蒙山、牙门山，被誉为“震旦第一山”，是国家级风景名胜区，中国旅游胜地四十佳之一。她位于峨眉山市境内，距成都160公里，面积300多平方公里，是大峨山、二峨山、三峨山的总称。因大峨、二峨山远望相对如娥眉，故称峨眉山。

峨眉山是大自然伟大创造力和造化神奇的产物，地质学上称为“峨眉断块带”，是座悬峭壁众多的断块山。峨眉山形成自8亿年前的洪荒时代。大约到距今1.8亿年前的中生代侏罗纪初期，峨眉山破水而出，再经过新生代时期强大的造山运动，终于从浩瀚海洋中的一个荒凉孤岛变身为千姿百态、鬼斧神工的巍峨雄山。

云霞尚满天

多样的地貌类型造就了峨眉山雄秀神奇的自然地貌景观：东部山势较低，形如锦屏；中部群峰耸峙，如林间春笋；西部山势巍峨，雄伟壮观；主峰金顶海拔3,099米，高凌五岳。景区内山形古雅神奇，雄秀挺拔，气候独特多变，花木繁多，具有春荣、夏丽、秋

金顶观日出

# 天下名山

郭沫若

白云峡

幽、冬静的特点。山山有奇景，十里不同天，形成了“罗峰晴云，圣积晚钟，双桥清音，洪椿晓雨，白水秋风，九老仙府，象池夜月，灵岩叠翠，大坪霁雪，金顶祥光”十大景观，自古有“峨眉天下秀”的美称。俯瞰峨眉山，气势雄伟而景色秀丽，山静云动，仪态万方。《世界自然文化遗产名录》称赞峨眉山“具有较高的美学价值”，一山而具形态美、动态美、色彩美、听觉美、意境美这“五种美感”。游客登临峨眉，仿佛超然于尘世之外，身心俱净化澄澈。

峨眉山是一座天然的“动植物乐园”，有植物5000多种，古生常绿混交林带17万多亩成垂直分布，拥有珙桐、桫椤、双盾等珍稀植物和苏门羚、大蚯蚓、枯叶蝶和峨眉灵猴等多种稀有动物，峨眉观猴已经成为游山必不可少的一项活动。

峨眉山是普贤菩萨的道场，中国四大佛教名山之一。远在汉晋时期，道教、佛教就竞相在峨眉山修建寺庙，明清佛教全盛时期全山有150余座庙宇。现存有名的寺庙有报国寺、伏虎寺，万年寺、洪椿坪、清音阁、九老洞、洗象池、金顶华藏寺

大雄宝殿香火盛

**轮船:**

可由乐山乘船沿长江而下。

**飞机:**

峨眉乘车两小时后到达双流机场,有到北京、广州、桂林、贵阳、哈尔滨、杭州、昆明、拉萨、深圳、上海、青岛、西安、西双版纳的各条航班。

## 游览交通

峨眉山交通实行上山换乘当地的交通车,车型以金龙为准。

峨眉山新近开通“金顶—千佛顶—万佛顶”的单轨列车,全长2100米,需时约8分钟即可登上海拔3099米的最高峰万佛顶。

峨嵋天下秀

等。峨眉山的秀美神奇吸引着历代文人学士。唐代诗人李白曾赞曰:“蜀国多仙山,峨眉邈难匹;周流试登临,绝怪安可息。”;山川诗人元稹离蜀后,写下了著名的《寄赠薛涛》:“锦江滑腻峨眉秀,幻出文君与薛涛……”,成为峨眉称秀的滥觞;明代周洪谟更热情地礼赞:“大峨两山相对开,小峨迤丽中峨来;三峨之秀甲天下,何须涉海寻蓬莱。”

## 峨眉山游览指要

### 报国寺

报国寺位于峨眉山麓光明山下,为峨眉山的进山门户,冯玉祥曾题“名山起点”。该寺建于明万历四十二年(公元1615年),原名会宗堂,祀普贤、广成子、楚狂,取儒、道、释三教会宗之义;清康熙年间重修,并取佛经中“四恩”之一“报国主恩”意,御赐“报国寺”名。后经两次扩建,成为四层殿宇和亭台楼阁俱全的宏大寺庙。

寺院山门“报国寺”匾额为清康熙皇帝御书,寺内殿宇轩昂,佛像璀璨。弥勒殿、大雄殿、七佛殿、普贤殿、藏经楼、吟翠楼、待月山房等,自前至后逐级升高,排列有序,布局井然。七佛殿内尊放着七座佛像,中为释伽牟尼。殿后有国内罕见的大型彩釉瓷佛一尊,身高2.4米,身缀千叶莲衣,仪态丰满,神情端庄,为永乐十四年(公元1416年)在江西景德镇烧制,是极珍贵的文物。藏经楼存元代书法家赵孟频书《王右军兰亭序》大条幅及郑板桥、康有为、张大千、徐悲鸿等名家墨迹。

报国寺

峨嵋索道

寺周古楠修竹掩映，凤凰包为峨眉十景中“圣积晚钟”所在地。寺钟乃明代嘉靖年间圣积寺住持别传禅师所铸，高2.3米，重1. 25吨，上刻自晋以来历代君王、文武将相、高僧居士姓名和铭文、佛偈七万余字。当年入夜敲钟，每敲一下，钟声历时一分十五秒，声闻30里，空谷传音，动人心魄。民国初年，四川都督尹昌衡曾将此钟偷去，欲铸铜钱，激起僧众的愤怒才物归原寺。1955年大炼钢铁时，大钟被打了个洞，后虽补好，但敲响时声音已大不如前。

离开报国寺，有左右两条山路上山。左线经伏虎寺、清音阁等直达金顶，全程64公里；右线经万年寺达金顶，全程44公里。

**主要住宿点**

红珠山宾馆
星级：三星
地址：峨眉山报国寺
电话：5525888

峨眉山大酒店
星级：三星
地址：峨眉山报国寺
电话：5526888

峨眉山金顶大酒店
星级：二星
地址：峨眉山金顶
电话：5098077

雄秀宾馆
星级：二星
地址：峨眉山报国寺
电话：5523888

金叶宾馆
星级：二星
地址：峨眉山报国寺
电话：5523666

峨眉山交通宾馆
地址：峨眉山报国寺
电话：5590518

**伏虎寺**

从报国寺西行约一公里，就到了伏虎寺。伏虎寺为峨眉山第一大寺，始建于唐，明末遭毁。清顺治八年（1651）贯之禅师率徒重修，历时二十年，建成十三重殿字的巍峨大庙。

峨眉金秋

伏虎寺因寺后山峰状若老虎蹲伏而得名，规模宏大，殿堂辉煌，巍峨壮观。寺周的楠林名为“布金林”，是全山最大的人造林，楠、樟、柏、松至少在十万株以上，为寺中第三代住待寂玩上人营造，楠木参天，浓荫蔽日。奇特的是，伏虎寺所有的殿堂都被高大浓密的林木遮掩，但四重大殿瓦屋上却从不存败叶，洁净如洗，一尘不染。因而伏虎寺又名“离垢园”。

寺内有华严塔亭，中置明铸紫铜华严塔一座，以其时代久远和高大精良而居中国铜塔之最。塔高6米，共14层，塔身铸有4，700余尊小佛像和《药师经》、195048字的《华严经》全文，工巧秀丽，为峨眉重要文物之一。寺存古今名家对联二十副，有集张衡和李白名句而成的“何当报之青王案，可以横绝峨眉顶”、杜甫的“长啸峨眉北，潜行至垒东”、孟浩然的“户外一秀峰，窗前万木低”等。其中遍能法师撰“圣迹渺难稽，传有行僧曾伏虎；名山今焕彩，更无羽士再乘龙”之联，读来别有韵味。

伏虎寺后有一小庵名萝峰庵，清代太使蒋超曾居于此，沤

万年寺山门

心沥血写成22卷、12万字的《峨眉山志》。小庵四周修竹万竿，乔木千棵，天气晴朗时，白云朵朵，是峨眉十景之一"萝峰晴云"所在地。

### 万年寺

由报国寺往东走，约15公里路程就到了万年寺。

万年寺背倚双龙岭，面向钵盂山，雄踞于群山之中突起的一座山峰上，为峨眉六大古寺之首，全国重点文物保护单位。始建于东晋元熙二年（公元420年），当时叫普贤寺；宋代改名为白水普贤寺。明万历二十八年（公元1600年）建无梁砖殿，第二年竣工，改名为"圣寿万年寺"'。

万年寺原有殿宇七重，规模宏大，后几经兴废，仅存明代无梁砖殿。无梁殿是我国古代建筑史上一大奇观，外部通高16米，边长15.7米，墙壁、斗拱、窗棂皆为砖砌，屋顶中空、螺旋式，四周呈方形，屋檐门窗及穹窿顶图案优美，色彩鲜艳。殿内有一尊宋代铸造的普贤菩萨骑六牙白象铜像，高7.35米，重62.1吨，造型生动，距今已有一千余年历史，堪称国宝，现为全国重点保护文物。

寺院周围广植红枫、岩桑。深秋之时，满山红叶与蓝天白云相映，景色极佳。"峨眉十景"之一的"白水秋风"就在万年寺一带，附近还有慈圣庵，息心所，初殿、华严顶等丛林。

峨眉清音阁

### 清音阁

由报国寺上行约5公里到清音阁。

清音阁创建于唐乾符四年（公元877年），位于牛心岭下，面向五显岗，东有白龙江，西有黑龙江。黑白二水汇

## 主要旅行社

峨眉山国际旅行社
地址：峨眉山报国寺
电话：5525888
峨眉山风景国际旅行社
电话：5528066
峨眉山导游服务公司
地址：峨眉山名山中路54号
电话：5526257

## 索道公司

峨眉山金顶索道公司
地址：接引殿
电话：5098019
峨眉山万年索道公司
地址：万年停车场
电话：5090128

## 邮政电讯

邮政编码：614200
长途区号：0833

## 管理机构

峨眉山管理委员会
地址：峨眉山名山路南段
峨眉山市旅游局
地址：峨眉山市名山路南段

万年寺内的普贤铜像

于清音阁下，合流处有一巨石，高约4米、状似牛心，名牛心石，称为“黑白二水洗牛心”。牛心石不远处有石拱桥两座，凌空而起，状如彩虹，分跨黑白二水，名双飞桥。涧下有接王亭，传为当年僧人为迎接奉旨上山赠经书、诗文的清康熙帝侍卫大臣海青伍格亲王而建。二水绕石，水声如琴，山谷回响，音清色美，有“双桥清音”美誉，为峨眉十景之一。《峨眉山志》中有“杰然高阁出清音，仿佛仙人下抚琴。试向双桥一倾耳，无情两水漱牛心”的诗句，专写此处美景；而戊戌变法六君子之一的刘光第撰“双飞两虹影，万古一牛心”联，更被誉为“千古绝唱”。

距清音阁一公里处为白云峡，绝壁千仞，如刀砍斧劈而成，长130米，宽约6米，窄处仅3米，称为“一线天”。沿途修有栈道，仅容2人穿行。岩石蔽日，余天光一线，十分幽静。

清音阁附近有广福寺、后牛心寺和白龙洞等丛林。

## 消费参考

**游山票**

60元/人

**金顶索道票**

上行40元/人　下行30元/人

**万年索道票**

上行25元/人　下行20元/人　往返40元/人

**旅游汽车**

报国寺——雷洞坪

往返40元/人

**门票**

报国寺8元/人　伏虎寺6元/人　万年寺10元/人　华藏寺10元/人

**宾馆房费**

二星级（高山区）300-480元/间

三星级（低山区）220-500元/间

准二星级（低山区）100-150元/间

**餐费**

50-80元/人.天

## 主要购物点

峨眉回春堂

峨眉峨参堂

### 洪椿坪（千佛庵）

洪椿坪海拔1100米，在宝掌峰下，由清音阁上行6公里可至。始建于明万历五年（公元1577年），由楚山禅师所建，原名“千佛禅院”，又称千佛庵。崇祯年间，德心禅师续建，因寺外有千年洪椿古树，改名为洪椿坪。清顺治时扩建，筑殿四重，气势崇宏。

洪椿坪

五百罗汉堂

相传南北朝时，峨眉山来了位西域高僧宝掌大师，在洪椿坪后林木苍郁、秀压群岭的山峰结茅为屋，每日或诵经文，或与其他寺院僧人交流禅理，深受爱戴。后人称其结茅的山峰为“宝掌峰”。

峨眉山九老洞中的财神

## 注意事项

1、防寒：峨眉山海拔3099米，相对高度达2500米以上，山顶气温常较山下低10℃左右，登山者需作好御寒准备(金顶有棉衣可供租用)。

2、防雨：峨眉山云低雾浓，细雨时停时降，终日不绝，故登山者应带备相应雨具，以轻便的塑料薄膜雨衣为佳。

3、防滑：峨眉山部分路段非常险滑，游人应特别注意安全，不宜穿光底和硬底鞋。

## 投诉报警

峨眉山旅游质检所
电话：5522070

峨眉滑竿

寺内藏有一盏清末制造的七角七方千佛莲灯，上雕五百尊佛像和小说《封神演义》中的神仙故事，雕镂精美，造型生动，体现了佛道两家在峨眉山的合流，为珍贵文物。寺内多楹联，尤以清人冯庆樾所撰“双百字”称著，上联描绘寺周风景，下联巧妙地嵌入了几个流传久远的寺中掌故，读来令人叫绝。

洪椿坪下有锡杖泉，泉水清凉洁净，游人至此，都喜沏茶品尝。据传洪椿坪曾经缺水，德心禅师决心挖渠引天池水下来。得天池仙女相赠锡杖，德心以杖凿石，边凿边唤："打通天池水，引来锡杖泉"，三杖之后，泉水即喷涌入寺，从此留下了锡杖泉的佳话。

寺院周围山抱林拥，葱郁幽静，雨雾蒙蒙，千枝滴翠，被称作"洪桔晓雨"，是"峨眉十景"之一。

峨眉金丝猴

**仙峰寺（九老洞）**

"三皇九老洞，万古一仙峰"。仙峰寺位于洪椿坪与洗象池之间，面向华严顶，背靠危崖，由洪椿坪上行约15公里可至。仙峰寺古称慈延寺，又号天峰禅院，始建于元代，现存殿宇多为清代修茸重建。

从洪椿坪上九老洞途中，要经过全山坡道最长、最陡、石蹬最高、拐弯最多的一段路，号称"九十九道拐"。清代文学家赵熙在《峨眉纪游诗》中写道："险处依稀到百分，上方人语半空闻。人行转折传书势，春蚓秋蚊画子云"。游人至此，往往怯而止步。

仙峰寺草木葱茏，深邃幽寂。寺内殿宇四重，覆以锡板铁瓦，后殿为舍利铜塔。寺外不远，有一巨石"三峰石"，刻有"南无阿弥普贤菩萨"和"仙圭"等字，寺名即由此而来。

寺周为峨眉猴的栖息地之一，游客在此喂食群猴，倍添游趣。世所罕有的植物珙桐树茂密成林，繁花满树如白鸽展翅。

此地原为道家胜地，后因佛教兴盛而成为佛寺，但附近许多景点的名字仍保留了道教的名谓。寺右侧为天皇台，传为轩辕问道处。从天皇台往下约一里，有一个幽深而神秘的石灰岩溶洞"九老洞"，传说古代黄帝问道的九位老人就住在洞中。洞口约4米，内洞重叠，深不可测。洞中有财神殿，相传财神赵公明曾在这里修炼。这一带就是"峨眉十景"之一的"九老仙府"，可观赏到繁花满枝，花红叶翠的万千景致。

**游程安排**

一日游：

1、可乘车到万年寺停车场，徒步（或乘索道）到万年寺；下行经白龙洞到清音阁；再沿黑龙江上行到一线天。游完一线天后折返回清音阁，于五显岗乘车到报国寺、伏虎寺游览。晚上参观民俗风情园。

2、乘车到万年寺停车场，乘索道到万年寺；下行经白龙洞到清音阁；再步行经中峰寺、神水阁、纯阳殿、雷音寺，到伏虎寺、报国寺；晚上参观民俗风情园。

3、乘车到雷洞坪（观日出者须起早），再坐索道缆车上金顶（到金顶后还可乘坐单轨列车游千佛顶、万佛顶）；游完金

**洗象池**

离开九老洞，上行12.5公里就到了洗象池。洗象池在明代叫初喜庵，清康熙年间扩建为天花禅院，因寺前有六角形小池传为普贤菩萨洗象处而得今名。寺庙建在山峰之巅，是游人凭栏远眺，观赏远近峰峦秀丽景色的绝好点。如遇月夜，就能在这里欣赏到"峨眉十景"中"象池夜月"的诗情画意。这时，

嗟来之食

四周幽静，天蓝如洗，墨黑挺拔的冷杉林梢后，一轮明月冉冉升起，游人可尽情享受这一份宁静。

洗象池一带是也峨眉猴的主要出没之地。峨眉猴颇通人性，常向游客讨食，与游客嬉戏，甚至会走进寺中听僧人念经，僧人呼之为“猴居士”。

### 雷洞坪

雷洞坪距洗象池约7.5公里，始建于唐末，初名“雷洞祠”。据《搜神后记》：“义兴人周姓，寄宿道边女子家。一更许，有小儿唤阿香，女答应。小儿说：‘官唤汝去推雷车。’女乃去。夜，遂大雷雨。”后世即据此建祠。明万历十年（公元1582年）增建雷神殿、洞坪堂，故又名雷神殿。

此祠为清同治时重建，后圮，仅存崖畔一亭供游人休息观景。崖下云雾茫茫，深不可测。每至盛夏，崖下雷雨轰鸣，崖上却晴空依旧。人谓崖下有七十二洞，住着雷神、女娲、伏羲、鬼谷、龙王、蛇王。明代僧人曾在此铸有十尊铁像，立有禁声铁碑。据说行人若说笑声过高，惊怒雷神，风雨雷电会循声而至。宋代诗人范成大曾游此地，赋诗曰：“行人动魄风森森，二岩奔黑走太阴；不知七十二洞处，侧足下窥云海深。闻有神龙依佛住，振触须臾遭雷霆；两山竹木晴日照，我亦闲游神不惊。”

顶后乘车到报国寺，伏虎寺游览；晚上看民俗风情园。

另一条路线是，游完金顶后乘车到万年寺，游万年寺、白龙洞、清音阁、一线天；再到五显岗乘车离去。

4、乘车到金顶，观日出，游金顶，再步行下山经洗象池、华严顶、初殿、息心所到万年寺，再到万年寺停车场乘车离去。

金顶观光车

金顶舍身崖

这里海拔高，多悬崖，冷暖气流一般在岩下成饱和状态，高声喧哗的震动可引发雷雨；游人到此，如有兴趣，可以利用这种自然现象“呼风唤雨”。

**金顶**

峨眉金顶华藏寺，海拔3077米，是峨眉游山的终点，由洗象池上行15公里，经过登金顶最长最后的一道有2380余石级的险坡——七里坡，再经过接引殿即至。

华藏寺始建于晋汉时期，当时称普光殿，后改名为元相寺。明万历年间，西蜀蕃王在殿后捐造了一座普贤佛殿，又称“铜殿”。因其殿顶鎏金，瓦、柱、门、窗皆为铜中掺金建造，阳光下金光闪闪而得名“金顶”。清代刘咸荣曾有联写金顶之高：“碧岗丹嶂极高寒，到此间，搔首可问天，懒问天，但闻佛笑；玉宇琼楼真咫尺，喜今朝，展眉能近月，要留月，不许云飞。”可惜华藏寺于清康熙三年（公元1664年）和1972年两次毁于大火，仅余下一块高2米，宽0.85米，正反两面分刻《大峨山永明华藏寺新建铜殿记》和《峨眉山普光殿记》的铜碑。现在的金顶华藏寺，是1986年——1989年间按原貌重建。游人登临至此，向西远望，可见白雪皑皑的大雪山、贡嘎山和瓦屋山；向东俯瞰，则见苍山如海，江河似带。世界尽收眼底，顿感天地之开阔，气象之万千。

华藏寺侧为卧云庵，庵左为睹光台。寺后是断岩720米，峭绝如削，因昔日常有人由此跳崖轻生而得名的舍身岩。崖左有巨石屹立云中，名金刚石。瑞士登山名将巴特曾试图从崖底登顶，并扬言中国无人敢从这里攀登。然而，1934年毕业于北大地质系的李春星凭着一腔爱国热血，用

峨嵋山金顶

二日游：

1、第一天：乘车到雷洞坪，步行到金顶，夜宿金顶。

第二天：乘索道下山到雷洞坪，再步行下山，经洗象池、华严顶、初殿、息心所到万年寺，再从万年寺停车场乘车离去。体力好的可乘车到报国寺、伏虎寺游览后再离去。

2、第一天：乘车到万年寺，上行经息心所，初殿、华严顶、洗象池、雷洞坪到接引殿乘索道上金顶，宿金顶。

第二天：游金顶、千佛顶、万佛顶、再步行经天门石、太子坪、接引殿到雷洞坪乘车离去。或乘车到报国寺、伏虎寺游览后再离去。

3、第一天：乘车到金顶，下山步行到洗象池住宿。

金顶华藏寺

了一天一夜，先于巴特攀上了崖顶。

由金顶上行，经千佛顶，就到了海拔3099米的峨眉之巅——万佛顶。明清时此处曾建有文殊庵和藏经楼，现已遭毁。

登临金顶，不能不看“金顶四奇”——日出、云海、佛光、圣灯，其中尤以佛光最奇。欣赏“金顶四奇”的最佳观赏点在卧云庵左侧的睹光台。

金顶殿内

佛光又叫祥光、宝光，要在云平风静的午后才易见到。此时，游人可见崖前云雾上有一五彩光环，而只有自己的身影映入光环中央。清代谭钟岳曾作诗形容：“非云非雾起层空，异彩奇辉迴不同；试向岩石高处望，人人都在佛光中”。佛光一年四季都有在峨眉山出现，世所罕有。

峨眉圣灯则在黑夜出现，有时舍身岩下有荧光闪闪，在山谷间飘荡，忽而数十道蓝绿色的光点次序闪出，迎面扑来，转瞬即逝。峨眉山僧人谓之“万盏明灯照普贤”，其实是磷矿中磷化氢在适宜气温下的自燃现象。

晴天日出的奇景则让人激动。黎明时，天边初现一点橙红，渐渐自地平线渗出缕缕红霞；忽然间一轮红日冉冉升起，金光万道，普照仙山，整个峨眉山顿成一个无限生机的金色世界。

云海翻腾，显出峨眉山的变幻莫测。观云海，人如置身天宫。无风时，白云无边无际，寂静无声；风起时，波涛汹涌，地动山摇。

第二天：下山经华严顶、初殿、息心所到万年寺或到五显岗乘车离去。

4、第一天：乘车到五显岗或万年寺，上行经息心所、初殿、华严顶、九岗子，再下行经遇仙寺到九老洞住宿。

第二天：经洪椿坪，一线天、清音阁到五显岗乘车离去，体力好的游人可乘车到报国寺、伏虎寺游览后再乘车离去。

# 跑马溜溜的山上

## 成都至海螺沟途中

成都至海螺沟途中里程为319公里，有公路相通，途经崇庆陆游祠、大邑刘文彩庄园、邛崃文君井、雅安“民族画廊”、以及泸定桥、康定跑马山等景点、景区，一路风光无限，令人情丝绵绵。

**崇庆**

崇庆县，古称蜀州，距成都40公里，因宋仁宗、宋徽宗的女儿先后被封为崇庆公主，因而改名崇庆府，沿用至今。

崇庆罨画池景观为西蜀名胜，分为罨画池、陆游祠和州文庙，占地85亩，因南宋著名爱国诗人陆游在此为官而闻名。

陆游祠为一江南园林风格四合院式建筑，祠内有梅园、梅阁、花径、放翁堂、风雨楼等建筑。放翁堂内有陆游像，气宇轩昂。祠内陈列有陆游的诗、画及《怀成都十韵》、《游近村》等草书手迹石刻。

罨画池水面呈椭圆形，面积约10亩，被誉为蜀州胜景，以广植梅花著称。唐代裴迪与流寓成都的杜甫曾来此赏梅，相互和诗，杜甫在此留下被誉为“古今咏梅第一”的《和裴迪登蜀州东亭逢早梅相忆见寄》一诗。现崇庆每逢春梅早发，均在此举办赏梅花会。

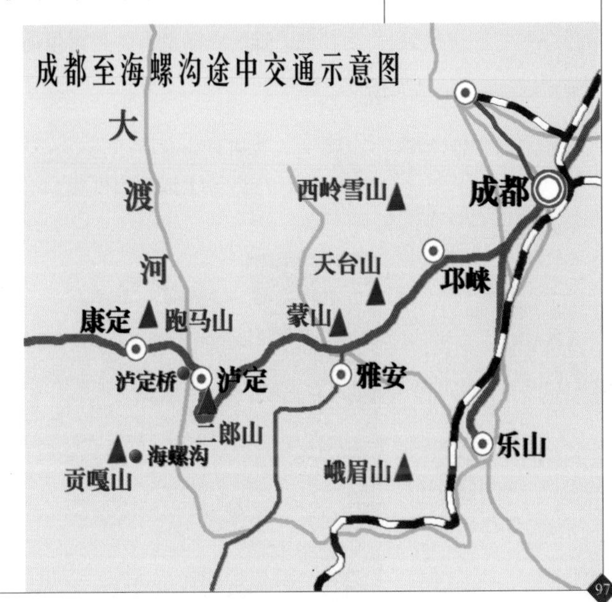


**主要旅行社**

雅安市旅游总公司

地址：雅安桃花巷34号

电话：2238774

**医疗急救**

雅安地区医疗急救中心

地址：雅安市城后坝地区医院住院部

电话：120

州文庙是建于明代的孔庙，保存较为完好，殿宇巍峨，雄冠西川，有宫墙、启圣宫、灵星门、圣城、鼓乐亭、大成殿等建筑。

### 大邑

大邑位于成都平原的西部，旅游资源丰富，风景壮观迷人，川西民俗风情独具特色。这里有国家级风景名胜区西岭雪山，闻名全国的刘文彩地主庄园等旅游点。

#### 西岭雪山

位于大邑县城西50公里处，是全国重点风景名胜区。景区总面积480平方公里，辟有景点27处，以雪山和高山自然风光为主。主峰海拔5364米，是成都平原西缘的最高峰，终年积雪。唐代诗人杜甫曾写下“窗含西岭千秋雪，门泊东吴万里船”的诗句。

西岭雪山

西岭雪山的森林覆盖率达84%以上，以千亩古桂花树林和连绵百里的高大杜鹃花树林最为壮观。景区内栖息有各类野生动物，游人入山，偶尔可见猴群、牛羚和熊猫。

#### 刘氏庄园博物馆

刘氏庄园位于成都市西南52公里处大邑县安仁镇，是目前国内保存最完好的一处封建地主庄园。

刘氏庄园原是大地主刘文彩的私家住宅，由南北相望的两大建筑群

大邑刘氏庄园

**主要住宿点**

雅安宾馆
星级：二星
地址：雅安市东大街121号
电话：2222610

雨都饭店
星级：三星
地址：雅安市挺进路20号
电话：2601999

雅州宾馆
地址：雅安市文化路9号
电话：2222029

崇州大酒店
星级：二星
地址：崇州市蜀洲北路
电话：2271889

邛崃市宾馆
星级：二星
地址：邛崃市文庙街51号
电话：8791599

红楼大酒店
星级：二星

邛崃文君井

组成，占地5.8万多平方米，建于清末至民国。南部建筑群即老公馆，始建于1931年，建筑面积1万平方米。全公馆共有27个院落，180多间厅堂住室，3处花园，7道庄门。北建筑群为新公馆，建于1938年，是中西合璧的近代庄园建筑。馆内展有大量实物和文献资料，1965年创作的超级现实主义雕塑杰作《收租院》在国内外产生了深远和广泛的影响。

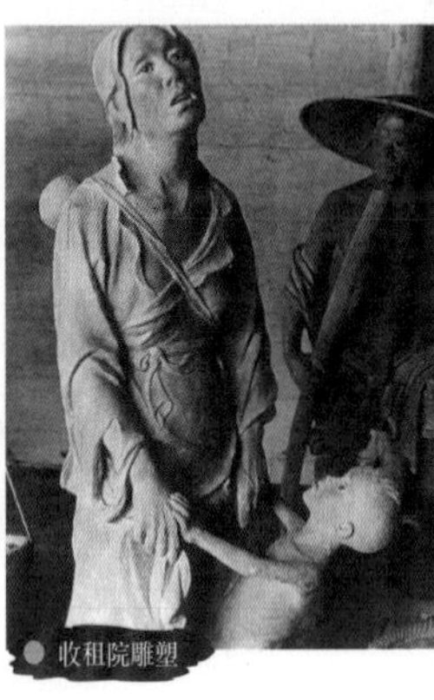
收租院雕塑

庄内有一座三层“小姐楼”，又称“绣楼”，建筑精妙，风格独特。

刘氏庄园是全国重点文物保护单位，中国近现代社会的重要史迹和代表性建筑之一，是中国半封建、半殖民地农村社会的一个缩影。

**邛崃**

邛崃古称临邛，是一座有两千多年历史的古城，四川省首批“历史文化名城”之一，名胜古迹众多。全市共有文物景点140多处，其中国家级1处，省级6处。省级旅游胜地天台山素有“雪巢名胜”之美誉；西汉文君井更是坚贞爱情的象征。

天台山位于邛崃市境西南，距成都市区120公里，为省级风景名胜区。景区面积147平方公里，主峰玉霄峰拔地1800多

地址：邛崃市文星街335号
电话：8795335
叠香溪温泉山庄
地址：大邑花水湾温泉开发区
电话：6653656
金泉宾馆
地址：大邑花水湾温泉开发区
电话：8308428
交通饭店
地址：大邑天宫庙花水湾开发区
电话：8308092
新豪斯大酒店
地址：大邑花水湾温泉开发区
电话：8308468
西岭山庄温泉
地址：大邑花水湾温泉开发区
电话：8308616

米。相传大禹治水时在此祭天，天台山由此得名。

天台山为丹霞地貌，水美、林幽、山奇、石怪，风光奇丽，神奇的“天台佛光”被称为山中一绝。

天台山是一座宗教名山，据清代嘉庆《邛州志》载，自“汉时名曰天台”，道宗即在此筑坛祭神。南北朝时，西域僧人云游到此，创建了天台佛寺。隋唐时代，天台山道佛儒并存，道观、佛寺、“宫房”多达100余处，设置了国内唯一的古代宗教法庭——“和尚衙门”。现存寺观遗址48处，以永乐寺保存最为完好。

纪念司马相如与卓文君的碑刻

邛崃文君井位于邛崃市内里仁街，相传为司马相如与卓文君开设“临邛酒肆”时的遗物。

古桥

汉代最杰出的辞赋家司马相如与邛崃富商卓王孙之女卓文君相爱，卓王孙极力反对，文君无奈只有夜奔相如，结为夫妇。相如家贫如洗，婚后两人设酒店于临邛市上。“文君当垆，相如涤器”，相敬如宾，后世传为佳话。相传此井即相如文君当年汲水之所，后人题名为“文君井”。文君井为不规则的矮罐形土窖井，现有庭园十余亩，园内有当垆亭，水香榭，听雨亭，梳妆台等清末建筑。唐诗人杜甫流寓成都时作有《琴台》一诗，其“酒肆人间世，琴台日暮云”句，就是凭吊文君井之作。

**雅安**

雅安自古以来就是内地沟通西藏、云南的交通咽喉，是西南丝绸之路的主要通道，有“民族走廊”之称。雅安还是世界

## 土特产品

**雅安：**

蒙山茶：自唐入贡久负盛名，仙茶、贡茶，古往今来均为我国名茶珍品，蒙山茶品种繁多，各具特色，有黄芽、石花、甘露、万叶、银叶和玉叶长春等名牌茶叶。

雅安边茶：属紧压茶类，是藏族同胞的不可缺少的饮品。

汉源花椒：历史悠久，唐代列为贡品，故名“贡椒”。其色泽丹红，粒大油重，芳香浓郁、醇麻爽口。

汉源雪梨：色香形美、块大，肉白如雪，细嫩化渣、香甜多汁，清脆可口。

多营弥猴桃：肉嫩多汁，清绿发亮，酸甜适度，果体较大。

天全香菇：以菇大、肉厚、脆嫩，含营养成份高而闻名，被誉为“蘑菇皇后”。

天全薇菜：为野生蕨类植物，其品种纯正，嫩苗粗壮，肉质肥厚，加工后成红棕色，具有光泽，根条完整，卷曲柔软，以开水浸泡则恢复原状，属山珍佳品。

雅笋：春天竹笋上市，白嫩香脆，鲜美无比。

大理石雕刻艺术品：雅安有丰富的各色花岗石和大理石，其中以中国红、石棉红最佳，汉白玉洁白无瑕，材质优良，结构细密均匀，加工后色泽清润、光亮诱人。

知名的大熊猫的故乡，在这里发现了世界上第一只大熊猫，大熊猫的存量和密度居世界之冠。区内山峦叠嶂，河谷纵横，旅游资源丰富多彩，拥有众多的名胜古迹。

古道石牛

雅安古称雅州，东临乐山市，峨眉山市；东北与成都平原相连；南往西昌市、攀枝花市；西去泸定县、康定县，面积1.53万平方公里，市区距省会成都市约140公里，3条国、省级公路贯穿全境。

雅安物产丰富，旅游产品别具一格，历史上有六大“贡品”：汉源贡椒（花椒）、名山贡茶（蒙顶茶）、雅安贡鱼（雅鱼）、贡莲（黄莲）、宝兴贡砚（外郎石砚）、天全贡米（香谷米），流传止今。

雅安境内的蒙山风景区集峨眉之秀，青城之幽而雅趣横生，是著名省级风景名胜区。

蒙山西距雅安15公里，海拔1500米，由五峰环列而成，状

土特产品

**大邑：**

*唐场豆腐、鹤鸣贡茶、双河豆花、野猪肉*

雅安之“雅”

泸定桥

如盛开莲花，风景秀丽。因夏禹足迹所至而有“禹贡蒙山”之称，又以入贡“仙茶”名列经传而有“天下第一茶”的美誉，是古代西南丝绸之路上一颗璀灿的明珠。

“扬子江中水，蒙山顶上茶”，蒙山被誉为“仙茶故乡”，是中国种茶业和茶文化的发祥地之一。早在两千多年前的西汉时期，蒙山茶祖师吴理真就开始在蒙顶培育栽种野生茶树，开始了人工种茶的历史。相传他曾在蒙山凿井，自己化为一潭甘露，隐没井中。汉宣帝刘询闻听后派人到此摘取“仙茶”。自此，蒙顶茶便日益闻名。自唐朝起蒙顶茶被列为贡品，进贡皇室。唐代诗人白居易亦在《琴茶》一诗中吟唱：“琴里知闻惟渌水，茶中故旧是蒙山。”

大渡河畔菜花黄

蒙山有许多历史遗迹。永兴寺建于唐代，寺内有摩崖石刻。寺前是千亩茶园，碧浪飘香。吴理真住所遗址位于峰下。“蒙泉”水质清洌，味道甘美，壁间镌刻有“洞天

## 旅途拾遗

陆游宦游四川十年，视之为第二故乡，并把自己的诗集题名为《剑南诗稿》，写下《入蜀记》等著作。陆游酷爱梅花，曾作《卜算子·咏梅》赞梅之高洁：“驿外断桥边，寂寞开无主。已是黄昏独自愁，更著风和雨。无意苦争春，一任群芳妒。零落成泥碾作尘，只有香如故。”晚年返回家乡后，他时常怀念四川，说：“心固未尝一日忘蜀也。”并曾对后辈说：“蜀风俗厚，古今屡多名人，苟居之，后世子孙宜有兴者。”《剑南诗稿跋》中言其在四川“乐其风土，有终焉之志”。

大渡桥横铁索寒

深处，酌泉试茗”八个大字。游人至此，品茗为趣。山中建有全国第一座茶史博物馆，颇具特色。

碧峰峡位于雅安市北8公里，分为两条峡谷，左峡长7公里，右峡长6公里。峡谷宽30-70米，海拔700-1971米，峡壁相对高度100-200米。峡谷中有一条1.5米宽的石板路，游人可沿此路在峡区内行游。景区有黄龙峡、天仙桥、天然盆景、千层岩瀑布、白龙潭瀑布、女娲池、滴水栈道等景点60多处，具有险、奇、秀、幽的原始风貌。

毛泽东和朱德住过的地方

### 泸定

泸定位于甘孜州东部，东邻雅安地区天全、荥经、汉源县；南连石棉县；西北接康定县，面积2164.42平方公里，有汉、藏、彝、回、蒙古、苗、壮等民族在此居住。

泸定地处青藏高原东部边缘，是川西高山高原最深陷的峡谷区。大渡河自北入境，纵贯南北。

清康熙四十五年（1706年），四川巡抚在大渡河的安乐（藏语称阿垄）修建铁索桥，桥成后，康熙帝赐名为“泸定桥”，县名因此而来。泸定桥主体由13根铁索和东西桥头台组成。东西桥头台临河沿水平距离100米。13根铁索横贯其上，其中9根作底，余下4根作扶手。桥长101.67米，离水面30米。

泸定桥是四川入藏的咽喉要道。1863年太平天国翼王石达开率部抢渡大渡河失利，全军覆没，给中国近代史上农民起义留下了

#### 旅途拾遗

**雅安三绝：**

一绝：雅雨。雅安是著名的雨城，降雨量和台湾基隆相当，年均雨量1774.3毫米，年最大降雨量2360毫米，日最大降雨340毫米，降雨年日数多达218天，连续雨日长达26天。

二绝：雅鱼。属雅安名特产品之一，是中亚高原山区特有的品种，又称“丙穴鱼”。产于青衣江（雅安段）周公河，故称雅鱼。鱼形似鲤而鳞细如鳟，体形肥大，肉质细嫩，沙锅雅鱼为当地名菜。相传，清代上贡慈禧，太后赞美为“龙凤之肉”。

三绝：美女。雅安山清水秀，空气清新，雨量充沛，日照柔和，气候宜人，使得雅安的女孩长得漂亮美丽，高雅可爱，可谓一方水土养一方人。相传，杨贵妃的母亲就是雅女。

泸定桥头巨石

邮政电讯

邮政编码：625000

区号：0835

管理机构

雅安地区旅游局

地址：雅安市上坝路3号

投诉电话：2223073

雅安市外事旅游局

投诉电话：2822506

名人题咏

井上梳风竹有韵，
台前月古琴无弦。

邛崃文君井楹联

中最为悲壮的一页。1935年底，红军长征路过泸定，与国民党军队展开争夺战，国民党曾声称“要让朱毛成为第二个石达开”。面对围追堵截，22名英勇的红军战士手攀铁索，飞夺泸定桥，横渡大渡河，并在这里建立了苏维埃政权，从而为中国革命走向胜利，杀开了一条血路。

现泸定铁索桥被定为国家级重点文物，旁有文物陈列馆、红军纪念碑等景点。

**康定**

康定位于甘孜州东部，距成都366公里。东与宝兴、天全、泸定、石棉县交界，南接九龙、木里县，西邻雅江县，北靠小金、丹巴、道孚县，面积11422.75平方公里，有藏、汉、回、彝、蒙古、苗、壮、布依、满、瑶、白、土家、纳西等多个民族聚居。康定系汉语名，因丹达山以东为“康”，取康地安定之意。

康定地处大雪山中段，境内山川纵横，地形地貌奇特，形成了绚丽多姿，融自然、人文为一体的旅游名胜景观，昔有十景：天都飞瀑、温泉浴月、双寺云林、仙海澄波、灌顶突泉、雅加银屏、郭达停云、子耳樵歌、四桥雪浪、乐顶梵音。

康定城郊的跑马山，因一曲《康定情歌》的流传而闻名。“跑马溜溜的山上，一朵溜溜的云。”为众口传唱，引起人们无尽的遐思。跑马山位于康定古城东南，海拔3000米，长1公里，花木丛生，风景秀美。每年农历四月初八的“浴沸节”，相传为释迦牟尼生日，各少数民族及汉族在这里举行赛马会、转山会等活动，盛况空前，高原古城顿成僧俗同庆的欢乐海洋。

康定辖下的古镇——磨西

# “蜀山之王”麾下的玉龙

## 贡嘎山——海螺沟游览指要

贡嘎山景区位于甘孜藏族自治州泸定、康定、九龙三县境内，以贡嘎山为中心，由海螺沟、木格错、五须海、贡嘎南坡等景区组成，面积1万平方公里，为国家级风景名胜区。贡嘎山地区为少数民族地区，区内有贡嘎寺、塔公寺等藏传佛教寺庙，游客更可领略到藏族、彝族等丰富多彩的民族风情。

**贡嘎山**

贡嘎山是组成贡嘎山风景名胜区重要景点之一，南北长约200公里，面积1000余平方公里，主峰海拔7556米，为世界第11高峰，四川省的最高峰，被誉为蜀中“群山之王”，1957年我国登山队曾登上峰顶。主峰及姊妹峰终年素裹银装，周围林立着145

出发

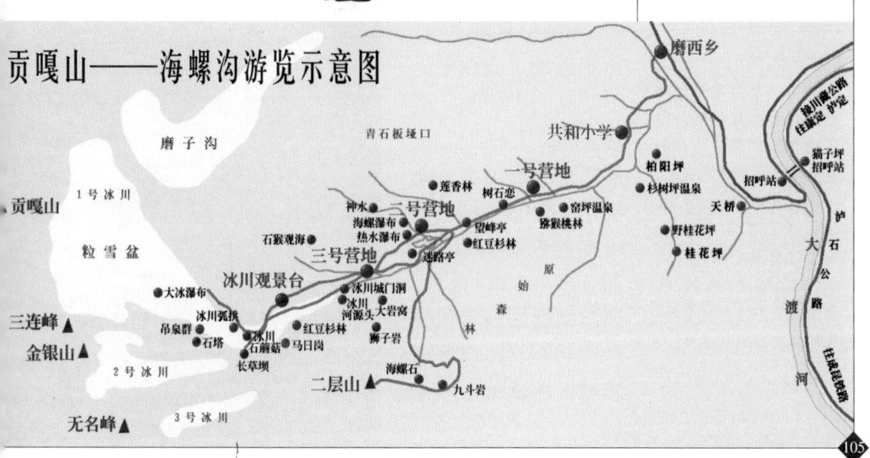

## 对外交通

**铁路:**

乘成昆线上各次列车于乌斯河站下车，换乘汽车至沟口磨西。

**公路:**

交通以汽车为主，可从成都经新建的高速公路、二郎山隧道、大渡河大桥抵达。全长282公里，行程约5个小时。或从成都客运中心或成都汽车站乘坐至泸定班车，食宿泸定，次日晨乘每日7时至沟口磨西的公共汽车。

## 区内交通

景区内交通主要以自驾车为主。

## 气候着装

海螺沟地区垂直高差大、气候类型特殊。山下长春无夏，年平均温度在15℃左右；山顶终年积雪，年平均温度为-9℃。外地游客宜早作御寒准备。

## 注意事项

海螺沟地形复杂，游客应特别注意安全。因当地旅游常须骑马，游客应考虑自身身体状况。一般游客及老弱者以在低山区参观游览为佳，体力强健者登临中、高山区时应注意：防寒、防雪崩、泥石流和冰裂缝；注意高山缺氧的危险。

座海拔五、六千米的冰峰，群峰耸立、雪山相连，气象万千。

藏语“贡”是冰雪之意，“嘎”为白色，意为“白色冰山”。贡嘎山以冰川闻名，山麓有现代冰川159条，面积达390多平方公里，是世界上海洋性冰川最发育地区之一。其中著名的有海螺沟一号冰川、贡巴冰川、巴旺冰川、燕子沟冰川和靡子沟冰川，冰层厚度达150-300米，十分壮观。由于冰川的侵蚀，陡峭的山峰变为金字塔形，高耸入云，直刺青天。

冰洞奇观

贡嘎山地势高低悬殊，自下而上处于亚热带、暖温带、寒温带、亚寒带、寒带、寒冷带、冰雪带7个气候区，特定的地理环境和特殊的气候条件，形成了多层次的立体植物带和特有的自然景观。海拔5000米以上的山峰，终年积雪；低海拔、无人烟的坡麓地带森林密布，郁郁葱葱，生态环境原始，森林受人类活动的影响小，植被完整，几乎拥有从亚热带到高山寒带能生存的所有植物物种，珍稀植物种类繁多，拥有植物4880余种，属国家保护的珍稀物种达400余种，东部河谷地区还遗留了不少

海螺沟宿营地

林海雪原

被称为“活化石”的古老的动植物。而栖息在这里的野生动物达400余种，珍稀保护动物有28种，堪称世界野生动、植物的大观园。

冰山湖泊星罗棋布，10多个高原湖泊分布于景区内。著名的有木格错、五须海、人中海、巴旺海等，或在冰川脚下，或为森林环抱，水色清澈透明，保持着原始、秀丽的自然风貌，仿若“瑶池仙境”。

从这里进沟

贡嘎山集冰川、险峰、湖泊、森林、草原、丰富的动植物为一体，奇特自然风貌吸引着许多中外科学家、探险家和登山、旅游爱好者，但因山道陡滑，一般不适合普通游客登临。

## 海螺沟

著名国家级风景名胜区海螺沟冰川森林公园，位于四川省甘孜藏族自治区泸定县内，距成都市319公里，康定49公里，是世界上仅存的低海拔冰川之一。

贡嘎山主峰脊线以东为陡峻的高山峡谷，地势起伏明显，大渡河咆哮奔流，谷窄水深，崖陡壁立。在水平距离不

## 主要住宿地

金川宾馆
星级：三星
地址：三号营地
冰川宾馆
星级：二星
地址：磨西镇
海林宾馆
地址：磨西镇
金海螺宾馆
地址：磨西镇
注：由定房中心统一安排定房。

## 营地

一号营地：位于达干烟沟口，距磨西约11公里。

二号营地：位于热水沟瀑布附近，距一号营地6公里。周围景点较多，可就近游览森林、温泉。

三号营地：位于冰川源头，距二号营地5公里，到冰川观景台约2公里。

海螺沟冰川

海螺沟冰河

足30公里达6500余米的高差形成举世罕见的大峡谷。海螺沟景区就位于峡谷之间。这里地形复杂，气候类型特殊，山下长春无夏，郁郁葱葱。气候宜人，年平均气温在15摄氏度左右。山顶终年积雪，年平均气温在 -9 摄氏度左右。

海螺沟发源于贡嘎山主峰东坡一条冰融河谷，有三大特色：

一是身处山脚，在阳光照耀下，远望终年积雪不化的贡嘎雪山，气势恢宏，光芒万丈，瑰丽辉煌。

二是海螺沟冰川在国内同纬度冰川中海拔最低，最低点为海拔2850米，冰川舌伸入原始森林6公里，冰川与森林共生。海螺沟冰川是现代冰川，形成于1600年前。沟内有一宽1000多米的大冰瀑布，直落1080米，举世无双。冰雪崩时，蓝光闪烁，雪雾漫天，倾泻而下，声动如雷，1-2公里外亦能听见，一次崩塌量达数百万立方米。堪称自然界一大奇观。

三是在这冰天雪地的冰川世界里，有温泉点数十处，游人可在冰川上洗温泉浴。水温介于40摄氏度至80摄氏度之间，其中更有一股水温高达90℃的沸泉。冷热集于一地，甚为神奇。

海螺沟空气纯净，是一块尚未开发的处女地。游览海螺沟，一般需时5 日。游客来此，可打马缓步在森林之中，感受回归自然的乐趣。

老马识途

# 蜚声寰宇的
# 盐都·酒乡·竹海

## 川南旅游区游览指要

川南旅游区包括内江、自贡、宜宾等地。从成都前往川南有铁路、公路相通，交通十分便捷。川南旅游区近年来发展很快，自贡以千年盐都、恐龙之乡和国际灯会蜚声海内；宜宾因蜀南竹海、石海洞乡、僰人悬棺和中国酒乡名扬寰宇，中国游人趋之若鹜；内江则以名人故里而倍受景仰。

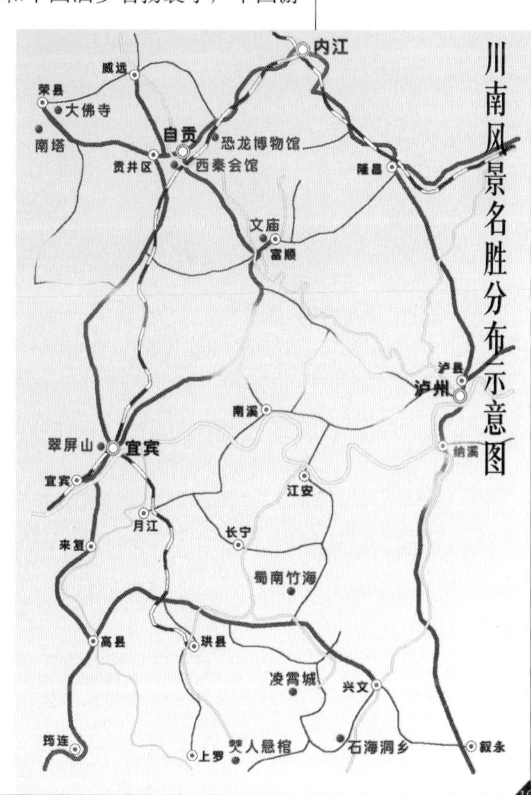

川南风景名胜分布示意图

### 内江

内江是川中南商品交易和重要物资的集散地，交通发达，素有“天府交通枢纽”、“经济走廊”之美誉。

内江名人辈出。被尊称为“三贤”的孔子之师苌弘、唐代著名诗人贾岛、国画大师张大千、画虎大师张善子、著名书法家公孙长子、陈毅元帅等均出生于此。

#### 张大千纪念馆

座落于内江城北沱江东岩园顶山上，为纪念一代国画大师张大千而建。

蜀南竹海

张大千（1899-1983），中国当代著名画家，生于内江。自幼学画，曾留学日本。其绘画造诣高深，作品神韵秀丽，风格别具，被评为“当代第一画家”。

纪念馆占地31.46亩，建筑面积1060平方米，立体建筑有大风堂、画苑，还有廊、亭、榭、水池、假山等附属设施，采用三合院、四合院、几重几进院落式布局，独具民族民居风格。中厅塑有大千先生铜像，左右两侧画苑分别陈列张大千、张善子书画等，正门匾额“内江张大千纪念馆”为张学良将军亲笔题写。

陈毅故居

为省级文物保护单位，座落于内江乐至县城西北30公里的劳动乡正沟湾。1901年，我国伟大的革命家、军事家、外交家陈毅诞生于此。

故居建于清乾隆元年，占地5333平方米，系三重堂四合式穿逗瓦屋，共36间。厅前塑有陈毅汉白玉像，正门上方悬有邓小平亲笔题写的“陈毅故居”雕刻木匾。院内外松柏、花卉环绕，环境十分优雅。

1987年，为缅怀陈毅同志的卓越功绩，在故居左侧新建了一座文物陈列馆。陈列馆为仿古庭园式建筑，面积11339平方米。馆内设展厅5个，陈列着反映陈毅生平事迹的各个革命时期的各种图片、资料、实物和国内著名学者、名人怀念他的诗词书画等400余件，再现了陈毅无产阶级革命家、外交家、军事家的光辉一生。

**自贡**

自贡市位于四川盆地西南部，沱江支流釜溪河穿境而过。下辖自流井、贡井、大安、沿滩四区，荣县、富顺二县，面积4375平方公里。自贡是一座古老的城市，盛产井盐，有“盐都”之称。自贡之名就来源于两个盐井名：“自流井”和“贡井”。如今，崭新的现代化市容与明丽的田园风光

对外交通

**内江:**

从成都汽车站每天有数次长途班车开往内江及所属各区县，也有成渝铁路各次列车途经简阳、资中、资阳、内江等站。

宜宾出土的铜鼓

**自贡:**

自贡市交通便利，距成都市269公里，可乘火车或汽车前往。从重庆去距离也相差不多。亦通火车或汽车，快车5个小时可达。

**宜宾:**

铁路：宜宾——成都、重庆

高速公路：宜宾——成都、重庆

水路：宜宾——乐山、泸州、重庆

航空：宜宾——北京、上海、广州、成都、昆明

自贡盐业历史博物馆

宜宾出土的铜洗

宜宾火车时刻表

| 车次 | 到达站 | 时间 |
| --- | --- | --- |
| 228 | 成都 | 8:07 |
| 604/1 | 重庆 | 21:15 |
| 606 | 成都 | 23:50 |
| 835 | 巡场 | 10:57 |
| 836 | 内江 | 16:32 |
| 227 | 宜宾 | 17:18 |
| 603/2 | 宜宾 | 18:24 |
| 605 | 宜宾 | 22:41 |

宜宾内河客运售票点

合江门码头客运站
联系电话:8226615
南岸桥头联合售票处
联系电话:2335258

宜宾轮船时刻表

| 航线 | 发船时间 |
| --- | --- |
| 宜宾－泸州 | 9:00 |
|  | 14:00 |
|  | 8:00 |
| 宜宾－乐山 | 13:00 |
|  | 8:10 |
| 宜宾－新市镇 | 8:30 |
|  | 3:30 |
|  | 7:00 |

和谐统一，更具特色。

自贡山水虽不足道，名胜古迹却独步天下，其中以盐都胜景、恐龙化石、自贡灯会并称为自贡三绝。蜀中第二大佛亦为自贡增色不少。

盐业历史博物馆

全国重点文物保护单位，位于市内自流井区解放路，原为到自流井经营盐业的陕西盐商集资兴建的西秦会馆。

盐业历史博物馆始建于清乾隆元年（公元1736年），设计精巧，融明清两代宫廷建筑和民间建筑于一体，规模宏大、金碧辉煌。道光七年（公元1827年），由著名建筑师杨学三主持大规模扩建。整个建筑群由前至后，逐层加高，整个建筑中木雕、石刻、彩绘、泥塑精妙绝伦，令人目不暇接。

该馆曾被联合国教科文组织以《盐都自贡技术博物馆》为题向世界各国介绍。馆内收藏、陈列有大量的有关井盐发展的史籍、文献、实物，展示了自李冰开凿广都盐井以来，二千二百多年中四川盐业生产的进程，对研究古代盐业史、科技史、经济史具有十分重要的价值。

**自贡恐龙博物馆**

位于距自贡市中心十一公里的大仙铺，是世界三大恐龙博物馆之一，也是国内建于发掘现场的唯一以恐龙化石为主的自然科学博物馆。

自贡恐龙博物馆

1979年自贡大仙铺发现恐龙群窟，经过整理，共有200多个个体，其中较完整的骨架18具。众多的恐龙共处一窟，引起世人注目。自贡市随后在发掘现场建起这座造型奇特的博物馆。

大约距今1.5亿年以前，自贡地区有大量恐龙生活。自1915年自贡首次发现恐龙化石以来，自贡出土大规模恐龙化石群达四十余处，以蜥脚龙、剑龙、兽脚龙、翼龙等为主，骨骼化石大多仍保存完好，因而被称为“恐龙之乡”。美国著名的恐龙研究专家麦克因托什教授预言：“在自贡地区有可能解决蜥脚类恐龙进化之谜。”我国古生物学家何信禄教授更称大山铺恐龙动物群是“无与伦比的”。

自贡灯会

恐龙博物馆占地2. 5万平方米，共八个展厅，陈列面积达3600平方米。其造型、装修和展品布置让人置身于一亿多年前的原始神秘气氛中，妙趣无穷。进门为中央大厅，地面留有一块发掘现场，里面是挤压成一团的恐龙化石。专家们认定，这是恐龙灭绝时的情景。后厅是面积为1700平方米的发掘现场。馆内陈列的恐龙骨主要有：“李氏恐龙”、“多齿盐都龙”、“天府峨眉龙”等，还有长达20米的草食性长颈蜥脚龙、身躯短小，长仅1.4米的鸟脚龙以及目前世界上发现时代最早、保持完整的剑龙。

恐龙博物馆是古生物学家进行科学考察的基地，是旅游者不可不游的一个新鲜而具吸引力的景点。

**自贡灯会**

人称“北有哈城冰灯，南有自贡灯会。”“自贡灯会” 久享盛誉。近年来，推陈出新，更是声名远播，名噪天下。

自贡彩灯设计新颖，做工精巧，博采众家之长，取现代科技之新，融“声、光、形、色、动”于一体。每年春节前后举行规模宏大的灯会，那壮丽的场面，精巧的工艺，迷人的声色，使自贡这一最具民族特色的大型民俗游乐活动令人叹为观止。

**宜宾**

宜宾“东接泸水、西联大峨、南通六诏、北接三荣”，扼川、滇、黔津衙之咽喉，是四川南部的著名工业城市和水陆交通要

## 主要住宿点

自贡沙湾饭店
地址：自贡市滨江路8号
电话：2208888
自贡市檀木林宾馆
地址：自贡市塘坎上路2号
电话：2408888
自贡荣洲宾馆
地址：自贡荣县桂林街65号
电话：6201385
宜宾酒都饭店
星级：三星
地址：宜宾市专署街5号
电话：8223399
宜宾西苑宾馆
星级：二星
地址：宜宾市夏兴街13号
电话：8227884

道，金沙江、岷江、长江三江交汇于此，故自古便有“万里长江第一城”之称。宜宾古称戎州，为历代兵家必争之地，现为国家历史文化名城。

宜宾古城依山傍水，秀丽多姿，风光旖旎，历史悠久，夏、商、周三朝即为僰人聚居地。宜宾还是著名的“酒乡”，名酒“五粮液”产于此地。宜宾又是著名的柑橘产地，每年金秋柑橘成熟时，黄澄澄一片形成全国有名的金色走廊。

宜宾城郊黄庭坚的流杯池

五粮液集团

万里长江第一城

宜宾人文古迹闻名于世，宋代大文学家黄庭坚谪居此地，留下流杯池、涪翁楼、吊黄楼等遗迹。流杯池位于江北公园内，是北宋诗人黄庭坚取王羲之《兰亭集序》中“曲水流觞”之义所建。黄庭坚在戎州时，常在此地呼朋引类，赋诗谈文。池畔岩壁上保存着历代名人题刻90余处。

宜宾市西北约3公里外，有一省重点保护文物旧州塔。此塔建于北宋大观三年（公元1109年），以砖砌成，高约30米，共十三级，逐级迭缩。造型典雅，有浓郁的宗教色彩和印缅建筑风格，为宜宾八景之一。

位于宜宾市翠屏山的哪吒行宫，古木葱郁，风景绝佳，是中国著名的城市森林公园。

通过海峡两岸的共同考证，认定翠屏山的哪吒行宫为中国唯一的哪吒（三太子）祖庙，故每年来此寻根祭祖的台湾同胞络绎不绝。1998年哪吒行宫应邀赴台访问，三太子金身绕台岛半年，突出了祖庙地位。

珍珠伞——僰人悬棺

**僰人悬棺**

僰人悬棺位于宜宾珙县境内，为“川南四绝”之一。珙县麻塘坝的200具悬棺类型齐全、数量较多、保存较好，被列为全国重点文物保护单位。

悬棺俗称“挂岩子”，是古代中国西南地区僰人采用的一种葬制，将棺材安置于人迹难至的悬崖绝壁上，或停放在天然洞穴中，或凿岩打桩将棺材架于其上。棺木高距地面达几十米至上百米，形状如船，头大尾小，多用整根楠木挖凿而成。葬地周围有许多岩画，其情其景极为奇特。悬棺景观令人惊叹，古人架设棺木的动机和方法至今仍是不解之迷。

悬棺之谜

僰人早在战国时期就居住在宜宾地区，骠悍骁勇。据当地县志记载，僰人于明代被四川巡抚曾省吾、总兵刘显率十四万大军斩尽杀绝，成为历史上又一幕惨剧。

僰人城堡

蜀南竹海翡翠度假村
地址：竹海景区内
电话：4622971
竹都大酒店
星级：二星
地址：江安县江安镇环城西站47号
电话：2622928
长宁县竹海宾馆
地址：长宁县万岭镇
电话：4910000

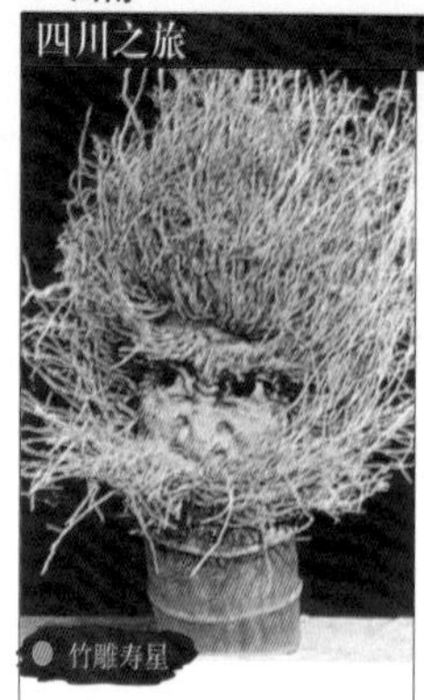
竹雕寿星

## 游程安排

蜀南竹海一日游：

游览僰江—翡翠长廊—仙寓洞—索道—忘忧谷—竹海博物馆

蜀南竹海二日游：

第一日：游览僰江—竹海博物馆—忘忧谷—墨溪

第二日：索道—翡翠长廊—挂榜岩洞穴群—仙寓洞—天宝寨—七彩飞瀑

## 蜀南竹海

蜀南竹海为国家级风景名胜区，“中国旅游胜地四十佳”之一，位于宜宾长宁、江安两县之间。

蜀南竹海是中国最壮观的竹林。7万余亩土地上楠竹密布，铺天盖地。夏日一片葱茏，冬日一片银白，是国内外少有的大面积竹景，与恐龙、石林、悬棺并称川南四绝。蜀南竹海竹类品种繁多，除楠竹外，还有人面竹、算盘竹、慈竹、绵竹、花竹、凹竹等 30多个品种。

蜀南竹海原名万岭箐。据传北宋著名诗人黄庭坚到此游玩，见此翠竹海洋，连连赞叹：“壮哉，竹波万里，峨眉姐妹耳！”即持扫帚为笔，在黄伞石上书“万岭箐”三字，因而得名。

蜀南竹海风景区内有景点124个，分布广。整个景区东西长约13公里，南北宽约6公里，其中一级景点15个，二级景点19个，蜀南竹海素以雄、险、幽、峻、秀著名，其中天皇寺，天宝寨、仙寓洞、青龙湖、七彩飞瀑、古战场、观云亭、翡翠长廊、茶化山、花溪十三桥等景观被称为“竹海十佳”。蜀南竹海空气清新，纯净，负氧离子含量较高，是我国一级环保旅游区。

从宜宾乘车向东南行68公里，就到了蜀南竹海的西大门长宁县，从这里开始进入景区。一望无际的竹子连川连岭，整整覆盖了500多座山丘。这里的海拔高度为600米至1000米，全

竹海之冬

竹海风韵

竹海飞瀑

年气温界于0℃到30℃之间，冬暖夏凉，一年四季都适于旅游。

忘忧谷是一条窄长山谷，这里楠竹长得既密集又粗壮，遮天蔽日，使整个山谷显得更深幽。游人走在盘旋弯曲的竹径上，听水鸣鸟啾，观绿竹野花，顿生超凡脱俗、飘飘欲仙之感。

过忘忧谷，在幽篁间有几十里游览小径，被称为“翡翠长廊”。在这条长廊中漫步，清新的空气中饱含竹叶的清香，如置身世外。

由“翡翠长廊”前行，前面就是著名景点仙寓洞。仙寓洞位于两县交界的擦耳岩上，为蜀南佛山胜地，以奇险幽静著称，传为营造竹林的瑶箐仙姑居所。入夜，可欣赏到弹琴蛙声，此起彼伏，声如古琴，余韵悠长，举世罕闻。这一带山势回环，丹崖如削。

去仙寓洞要从构筑在悬崖边的小径上行百余米，甚为惊险。

竹海清波

## 主要旅行社

自贡中国国际旅行社
地址：自贡市塘坎上路2号
电话：2207313

自贡川南旅行社
地址：自贡市滨江路8号
电话：2208888

宜宾市旅游公司
电话：8225184

宜宾新大陆旅行社
电话：8225000

宜宾叙府旅行社
电话：8221883

宜宾青年旅行社
电话：8226732

宜宾新世纪旅游公司
电话：8237455

宜宾邮电旅行社
电话：8241999

长宁县蜀南竹海旅行社
地址：长宁县万岭小桥
电话：4910108

江安县蜀南竹海旅行社
地址：江安县府大院内
电话：2620210

洞长约200米，进深10米，高约15米。洞内原为古道观，有大佛殿、玉皇殿、观音殿、灵官殿等。现道观已不存，但仍有石刻佛像和道教神像四十多尊。这里是观赏竹海的好地方。站在洞口眺望，只见万竹掀涛，竹海的奇特风光尽在眼底。

离天宝寨继续前行，沿着蜿蜒于深峡茂林之中的仿古栈道可登上建于悬崖峭壁上的天宝寨。此处易守难攻，为“一夫当关，万夫莫开”之地，当地少数民族曾于此屯兵。

天宝古栈道长达1500米，开凿在悬崖峭壁之上，沿栈道行进，好似飞檐走壁，惊险异常。古栈道修整之后，有惊无险，为游人增添了极大乐趣。

龙吟寺位于景区北部的九龙山顶。这里地势较高。在这里远眺，不仅可以观赏波涛似的竹海，而且可看到如带的长江在远处流过。

邮政电讯

宜宾市
邮政编码：644000
区号：0831
自贡市
邮政编码：643000
区号：0813
内江市
邮政编码：641000
区号：0832
蜀南竹海
邮政编码：644300
长途区号：0831

**石海洞乡**

石海洞乡位于兴文境内，东通泸州，西接宜宾，与蜀南竹海相邻，是我国喀斯特地貌发育最完善的地区之一。因全县石林、溶洞遍及十六个乡，故有“石海洞乡”之誉。

这里地面石峰林立，形态各异，怪石嶙峋，气象万千，有石门、石柱、石笋、石兽、石人等形状，惟妙惟肖。全县还有二十多个面积1万平方米的地下溶洞，洞洞相连，幽深莫测。石林北部的夫妻峰，高30米，近顶10米处从中分裂为高低二峰，中间夹一落石，如二人依偎。兴晏乡的天泉洞，有一万二千年历史，上下四层，开放面积达8万平方米，洞中有洞，洞下通河。洞后出口处的天然大漏斗（一种特定的地理现象）直径650米，深208米，堪称世界之最。周家乡的神风洞，面积20多万平方米，一字排开四个洞口，洞内石林丛生，乳石累累，如玉树临风，似琼花灿放。

相传石海洞乡原是僰族人的故乡，明代僰人首领哈大王曾在此抗击官兵，留下许多传奇故事。

石海洞乡——大漏斗

竹海丹崖

# 剑门天下险

## 古蜀道游览指南

古蜀道位于四川北部，穿行于秦岭、巴山、岷山之间，连绵数百公里，处处险峻，唐朝诗人李白曾发出：“蜀道之难难于上青天”的感叹。

广元节日之夜

古蜀道包括金牛道和阴平道等多条古道。金牛道北起陕西，入四川后经广元、剑阁、绵阳等地直至成都，连结川陕两省，是千百年来进出两地的唯一通道。今日所称蜀道，多指以古金牛道为主线的剑门蜀道旅游区。阴平道自绵阳经江油、平武、青川至川甘交界处，是陇西入蜀的捷

古蜀道风景名胜分布图

### 铁路交通

| 线路 | 车次 | 始发 |
|---|---|---|
| 广元－成都 | Y207 | 9 24 |
| 成都－广元 | Y208 | 8 42 |
| 广元－宝鸡 | 726 | 7: 00 |
| 宝鸡－广元 | 725 | 8: 04 |

### 游程安排

可乘宝成铁路广元站下车，然后沿川陕公路进行游览。

第一天：广元市游览，

第二天：乘车至剑门关，约57公里，游览剑门关后，乘车过“翠云廊”，车行30公里到达剑阁。住剑阁。

第三天：从剑阁出发，途中经梓潼游览文昌宫后下绵阳，路途共127公里。在游览汉平府群阙和西山后夜宿绵阳。或结束剑门蜀道之游，从绵阳乘火车往成都或去上海、北京等地；或继续前往江油参观。

径，山水险恶，人迹罕见，三国时魏将邓艾从这里偷袭成都而灭蜀。

古蜀道旅游区有两大特点，一是山多谷深，急流纵横，道路险阻难行；二是历史悠久，三国（公元220年——280年）遗迹尤为丰富。

蜀道明珠——广元凤凰楼

**广元**

广元距成都358公里，位于四川省北部川陕甘三省交界处，北连秦岭，南接剑门，扼古金牛道之咽喉。境内关隘重重，历来为兵家必争之地，是川北第一重镇。

广元唐称利州，因元朝统治者用兵四川，改为今名，寓“德成广播，疆土广大。”“广我元路”之意。这里历史悠久、古迹众多，著名的景点有嘉陵江栈道、皇泽寺、千佛崖等。

广元女儿节中的女人游河湾活动

广元女儿节狂欢活动掠影

**嘉陵江栈道**

明月峡是嘉陵江“小三峡”之一，位于广元城南约5公里，古栈道遗迹就在明月峡东面的绝壁上。

古栈道在绝壁上凿孔架木建成，始于春秋时代的秦蜀战争，史书中也有三国蜀相诸葛亮“凿石架空，始为飞阁”的记载。古栈道因屡遭战乱而毁，现在见到的一百多米长的栈道为近年修复。栈道之侧，峡谷深透，山若刀削，水似箭发。站在此处，可见古栈道遗迹、纤夫鸟道与现代修建的宝成铁路、川陕公路比肩而行，不禁感叹古人修筑栈道的艰险，今人开山筑路的伟大。

主要住宿点

广元宾馆
地址：广元市蜀门北路466号
电话：3224114

广元市利州宾馆
地址：广元市政府街13号
电话：3221985

剑州宾馆
地址：广元市剑阁县里仁巷10号
电话：6622247

东城宾馆
地址：广元市东环路南段6号
电话：3223712

皇泽寺大佛楼

## 医疗急救

广元市急救中心
地址：利州东路106号
电话：3220120
广元中医院
地址：建设路83号
电话：3234567
广元铁路医院
地址：广元下西坝
电话：3420509

## 皇泽寺

皇泽寺始建于唐开元年间，唐代以前叫川主庙，又称乌奴寺，传为纪念蜀郡太守李冰父子所建。有一种说法是：武则天生于广元，在其称帝之时，庙里的尼姑奏请女皇，敕改川主庙为皇泽寺，赐寺刻其真容。皇泽寺现为全国重点文物保护单位。

相传唐初著名星象学家袁天纲从京师长安南下入蜀，途径利州，见到状若金环的巨大彩云迎面飞来，消失在关前。袁天纲断言必有贵人将在此处降生。袁天纲在端午节到达利州城内，满城百姓都在嘉陵江边凭吊屈原。利州都督武士一家坐在一艘精致的官船上。忽然，一条乌龙自江中跃起，飞往西山，与此同时，一只凤凰伴着彩霞飞来，在东山顶上长鸣一声，然后振翅北飞。当时天昏地暗，飞沙走石，众人被吓得惊慌失措。袁天纲开怀大笑，预言贵人已经感孕母体。次年正月二十三，武都督之妻生下一女，就是后来的武则天。三年后，武都督邀请袁天纲来为其全家人看相。袁天纲对武夫人说："夫人骨法非常，必生贵子。"但对其两个儿子的评价只是"可官至刺史"。待他见到身着男装、年仅两岁的武则天后，惊叹道："日角龙颜，龙睛凤项，伏羲之相，贵人之极也。"当他得知此为女孩时，又断言："是女，亦当天下主。"

皇泽寺就位于广元市西郊，背倚乌龙山，面向嘉陵江，古

朴典雅，气势巍然。今寺内留有大佛楼、则天殿、吕祖阁、小南海、五佛亭等清代建筑，寺内保存着从北魏时期至清代的丰富摩崖石刻造像、这些珍贵文物现仅存6 个窟群，50个龛窟，大小佛像1203躯，大部分为盛唐时期的作品，分布在寺中“则天殿石龛”、“迎辉楼石龛”、“大佛楼石窟”、“中心柱石窟”、“五佛亭石龛”内。

则天殿正中龛内的武则天石像，头戴宝冠，袒胸露肘，凝重威严，双手交叉，作比丘尼状。龛旁左边壁上有已故国家名誉主席宋庆龄1963年5月题的词：“武则天是中国历史上唯一的女皇帝，封建时代杰出的女政治家。”殿中有后蜀主孟昶于广政二十二年（公元959年）所立的“广政碑”。

走出则天殿沿左侧楼梯攀登，便来到大佛楼。大佛楼龛窟是皇泽寺的主体龛窟。该佛龛的造像，无论在布局上，还是造像艺术上，以及保存的完整性，都是四川唐代造像之冠。正中大佛高5．11米为佛祖，两旁二侍者、菩萨各高4．4 米，大佛后侧浮雕为“护法神”。左边阿难菩萨脚下刻有一男供奉人，仅0．67 米高，身着唐朝官服，合掌半跪，头戴双翅沙帽，显示出对佛虔诚膜拜的姿态。

下大佛楼，沿小路前行不久，即是“中心塔柱窟”，该窟的造像建于北魏，是皇泽寺里唯一的镂空雕刻，有892 躯。出中心塔柱窟，再往南几十步，即到“五佛亭”，亭内刻有五佛，均为隋代造像。

皇泽寺的碑刻中，以《蚕桑十二事图》最为著名。清嘉庆二十一年(1816年)，广元县令曾逢吉下令在全县境内的驿道两旁栽桑，每华里栽360株，共栽231639株，到道光七年（1827年）时，已“千里驿道，皆桑树成荫，胜过河阳桃花，江南柳色”。曾逢吉将离任时，把栽桑、养蚕、缫丝的生产过程，绘制十二事图，刻成14块碑立在这里。

寺院左侧有“红军石刻标语碑林”，匾额为徐向前元帅题

土特产品

广元小吃：剑门豆腐，核桃酥饼，女皇蒸凉面被誉为广元小吃三朵花

传统山珍：木耳，蕨根粉条，黄花，薇菜，香菇

水果珍品：苍溪雪梨，苍溪猕猴桃

皇泽寺内的《广政碑》

广元皇泽寺

写。石刻标语共计110多块，是中国工农红军第四方面军1933年至1935年，在广元建立苏维埃政权，开展革命活动的佐证。

### 千佛崖

广元千佛崖在嘉陵江东岸，离城4公里，我国著名石窟群之一，全国重点文物保护单位，古称石柜阁，是四川规模最宏伟的石窟造像群之一，与皇泽寺遥遥相望。

千佛崖造像始于南北朝，止于清道光年间，长达1400多年，清楚记载着中国的古典石刻造像艺术发展脉络和宗教历史，被誉为“历代石刻陈列馆”。据清咸丰四年（1850）的资料记载，千佛崖从南到北全长417米，高45米，龛窟十三层，造像达一万七千万余尊，其中以盛唐作品为多，南北朝、隋、宋、明、清各代作品皆有，堪与云冈、敦煌媲美。1936年，因修筑川陕公路，千佛崖遭受巨大破坏，现仅存926窟，造像7千余尊及历代文人题刻碑128通。

千佛崖造像以大云古洞为中心，南北段有大佛窟、牟尼阁、睡佛龛、无忧花树龛、菩提像龛等著名龛窟。

大云古洞于公元690年动工，历五载而就。洞高3.8米，宽3.6米，深10.6米，位于千佛崖的中心。相传武则天以弥勒佛降生自居，洞内弥勒坐像即为武则

蜀道一景——广元千佛岩

明月峡先秦古栈道遗迹

天化身，袒腹含笑，怡然无忧，造像风格在国内罕见。后壁并列为龛的是唐高宗李治和皇后武则天“二圣”像，锥形石壁上尚有众多小龛及排列有序的菩萨像。南北两壁采用半圆雕法刻出148尊华冠盛服、脚踏云莲的观音。

### 剑阁

由广元往西南走65公里，就到了险绝天下的剑阁。

剑阁多山，古蜀道穿行其间，极为惊险。西晋文学家张孟阳在《剑阁铭》中说：“惟蜀之门，作固作镇，是曰剑阁，壁立千仞，穷地之险，极路之峻。”其险可见一斑。境内景点众多，除了著名的剑门关和翠云廊，还有觉苑寺、鹤鸣山石刻、中共十大政纲石刻等。

### 剑门关

剑门关在剑阁北部，两侧大、小剑山东西横亘百余公里，峰若利剑，飞鸟难逾。

三国时期，蜀丞相诸葛亮率军伐魏，路经大剑山，见群峰雄伟，山势险峻，便令军士凿山岩，架飞梁，搭栈道。诸葛亮六出祁山，北伐曹魏，曾在此屯粮、驻军、练兵；又在大剑山

剑门关开关仪式

### 旅途拾遗

广元“女儿节”：

中国历史上唯一的女皇帝武则天诞生于广元。因此广元民间一直有“正月二十三，妇女游河湾”的习俗。每逢武则天的诞辰日（正月二十三），妇女们纷纷穿红戴绿，到则天坝、皇泽寺、江边一带游玩，形成传统的“女儿节”。

### 管理机构

广元市旅游局

地址：广元市利州东路522号

电话：3235100

剑阁县旅游局

地址：广元市剑阁县普安镇

电话：6621906

断崖之间的峡谷隘口砌石为门，修筑关门，派兵把守。

剑门关历来为蜀道要隘，素有“一夫当关，万夫莫开”之说。陆游路经剑门关时，曾赋诗云：“剑门天设险，北乡控函秦。”至于“天下雄关”、“第一关”等碑刻则比比皆是。

剑门关为兵家必争之地，历史上发生在这里的战役多不胜数。三国时代，蜀国大将军姜维在此屯兵3 万，抵御魏将钟会的十万大军，使之无法入蜀。唐元和元年（公元806年），山南

**五丁开山的传说：**

剑门关金牛峡有长达30里的古栈道遗迹。据《水经注》记载：“秦惠王欲伐蜀，而不知道，作五石牛，以金置尾下，言能粪金。蜀王令五丁引之成道。”贪财的蜀王为迎接金牛，命力士开凿了通往蜀地的栈道，秦军沿栈道入蜀，故史家有：“蜀道通而蜀国灭”之说。

**七杀碑：**

广汉城湖公园内立有明末农民起义军领袖张献忠的圣谕碑。碑上共二十字：“天生万物与人，人无一物与天；鬼神明明，暗自思量。”张献忠战败后，明将杨展在此碑背刻《万人坟碑记》。清军入关后，将“圣谕碑”题刻改为：“天生万物以养人，人无一德以报天，杀、杀、杀、杀、杀、杀、杀。”此后被称为“七杀碑”，今日碑、文依然。

天下雄关剑门关

西道节度使严砺与叛将刘辟激战数月，刘辟军队陈尸五千于剑门，血染剑溪。

原古关城楼是三层翘角式箭楼，阁楼正中悬一横匾，书“天下雄关”，顶楼正中的匾额题有“雄关天堑”。这座历经千余年的雄伟古关楼，在1935年修筑川陕公路时被全部拆毁，仅存一块长方形“剑门关”石碑。现关楼是1992年在原关楼旧址上重新修建的一座更为壮观的仿古式关楼。

广元女儿节上百名女童绘百米长卷

剑门关集雄、险、幽、秀、奇于一体，它除山雄关险之外，还以谷幽、林秀、石怪、洞奇而闻名。这里风光名胜和文物古迹甚多，现存主要遗迹和景观有：舍身崖、姜维城、姜公祠、金皇洞、仙女桥、石笋峰、金牛峡等。

舍身崖在大剑山顶上，古时有梁山寺建于此地。相传剑门神女为检验一和尚是否诚心学佛，曾往寺中故意挑逗，和尚举杖欲打，神女仓皇而逃，跌落崖下。和尚追悔莫及，毅然跳崖殉道，在半空中被驾着祥云的神女接住。舍身崖因此得名。

姜维城即姜维在剑门关抗击魏军时扎营的营盘嘴，是可攻可守的要塞。后来蜀人在此建了姜公祠。祠中塑有姜维石像，还有一副楹联：“雄关高阁壮英风，捧出丹心，披开大胆；剩水残山余落日，空怀远志，虚负当归。”以缅怀忠心事汉的姜维。

金牛峡是最古老的蜀道遗迹，传为春秋时蜀王为迎接金牛而开凿，全长30里。

金皇洞位于梁山寺下的鬼谷之中，深邃莫测，传为唐玄宗避安史之乱，仓皇逃至至剑门时在溶洞中躲避藏宝。故后人称之为金皇洞。

**翠云廊**

由剑门关至剑阁县城的一段古驿道两旁，种植有8000余株古柏树。古柏枝干参天、浓荫蔽日，苍翠若云、夹道成廊，翠云廊之名因此而来。

古柏枝繁叶茂、姿态奇异：“泰山柏”主干挺拔，铁骨嶙峋，取其品格刚直不阿而命名；“夫妻柏”盘根错节，同根连干，形同连理，遂得芳名；有一棵巨柏名为“太子柏”，膊干倾斜，形成既可躲雨，又可遮风的树腔，相传刘禅亡国后，被俘去洛阳途中曾在树身下躲过雨，故称太子柏；最为珍奇的是一株晋柏，周身无皮、无枝、无叶，

“中国陆路交通活化石”——翠云廊

广元女儿节上的“凤舟赛”

却老当益壮，骨骼弥坚，相传为张亚子所植。

传说三国时蜀国大将张飞率部在此行军，被日光曝晒，挥汗如雨，于是命士兵广植柏树，居然“上午植树，下午成荫”，因此这些古柏又叫“张飞柏”。其实，此柏与张飞无关。据史书记载，古柏为明代正德年间剑州知州李壁（李白夫）命整修驿道的民夫所植，并规定禁止砍伐。自此直至民国，历代州官离任时均要将编号的古柏列册移交，翠云廊也因此得以保存。

### 梓潼

梓潼处于古蜀道南部，以“东倚梓林，西枕潼水”而得名。境内景点众多，以七曲山大庙为胜。

### 七曲山大庙

七曲山位于梓潼以北10公里处，为蜀道入川后的最后一道险峰。山间种有古柏4万余株，绵延数里，蜀中罕见。七曲山大庙建于山顶，藏于森森古柏之中。

七曲山大庙原为祭祀雷神善板、恶子的善板祠。后为纪念东晋时期抗击强秦的张育而改称大庙。张育，字亚子，越西人，客居梓潼。东晋孝武帝宁康二年自称蜀王，起兵伐秦，兵败后退守绵竹战死。后人因其敢抗强秦，视为雷神恶子。唐宋以后，被封为“英显王”、“文昌帝君”。

七曲庙又称帝乡，为全国最大的祭祀文昌帝的庙宇，倚山而建，共23座殿宇，占地万余平方米，皆为元、明、清所建，主要建筑有天尊殿、百尺楼、桂香楼、文昌殿等。

大庙正门，便是明代称为“西蜀名楼”的百尺楼。楼高3层共100 尺。此楼当时堪与荆楚名楼岳阳楼和黄鹤楼媲美，后毁于火，今楼乃清雍正十年（1732年）重建。天尊殿建于山顶，宏伟壮观，是研究我国古代建筑艺术十分珍贵的实物资料。

大庙里有10尊明代铁质铸像，最大的文昌帝君像高达4. 7米，重30吨；8尊陪侍像高6尺，各重万斤。这些造像工艺精湛，体态匀称，川中罕见，表现了我国古代高超的铸造技术和造型水平。大庙中的张献忠像，绿袍金面，甚为威武，为近年重塑。原像清时为绵州知州安洪德所毁。

该庙为我国建筑设计中的一朵奇葩。整座庙宇集元、明、清三代建筑技术之精华，布局严谨，结构巧妙，令人叹为观止。

**江油**

江油位于四川省西北部，为古蜀道的重要通道，三国时期蜀汉重镇之一。山奇水异，古迹众多，被赞誉为“剑门蜀道上的明珠”。古江油关号称川西北的咽喉，历代兵家必争。三国末期，魏将邓艾曾率精兵三千，绕过剑门关，偷渡阴平。蜀汉江油守将马逸开城降敌后，邓艾挥兵直取成都灭蜀。

川剧

江油地理区位得天独厚。北上可到剑门雄关，东去可往梓潼大庙，西行可至大禹故里，南下可寻古绵州风貌。从江油往九寨沟、黄龙，朝发夕至，被誉为九寨、黄龙门户。

江油的主要景点有：窦圌山、李白纪念馆、海灯法师武馆等。

竹编

**窦圌山**

位于江油市北面25公里外的武都镇郊涪江河畔，为川西平原上突兀而起的三座高峰，分别名为：向月峰、飞仙峰、神斧峰。相传为唐代彰明主薄窦子明弃官隐居，修道成仙处。

窦圌山以奇、险、幽、秀的特色吸引着中外游客。远望三峰，奇峰高耸入云，矗立如屏；登山俯瞰，水天一色，江油全景尽收眼底。诗仙李白少年时曾游此山，在此留下了“樵夫与耕者，出入画屏中”的动人诗句。

三峰巅分别建有东岳庙、窦真庙殿与鲁班殿。三峰中仅东

## 名人题咏

**蜀道难**

噫吁戏，危乎高哉！蜀道之难难于上青天！蚕丛及鱼凫，开国何茫然！尔来四万八千岁，始与秦塞通人烟。西当太白有鸟道，可以横绝峨眉巅。地崩山摧壮士死，然后天梯石栈方钩连。上有六龙回日之高标，下有冲波

诗仙李白

逆折之回川。黄鹤之飞尚不得过，猿猱欲度愁攀援。青泥何盘盘，百步九折萦岩峦。扪参历井仰胁息，以手抚膺坐长叹。问君西游何时还？畏途　岩不可攀！但见悲鸟号古木，雄飞雌从绕林间。又闻子规啼夜月，愁空山。蜀道之难难于上青天！使人听此凋朱颜。连峰去天不盈尺，枯松倒挂倚绝壁。飞湍瀑流争喧　，崖转石万壑雷。其险也如

窦圌山

岳庙那座山峰有古道可上，其余二峰都无路可登，全凭铁索相连，要去那边的山峰就得一手握上面一根铁索，脚踏下面一根铁索，小心翼翼“飞”渡过去。

从山脚到山顶，路程约15华里。山中有建于唐乾符年间(公元874－879年)的云岩寺，现为国家重点文物保护单位；飞天藏具有八百多年历史，举世无双；铁索飞渡堪称神州一绝；中国历代皇帝长廊223尊圆雕石刻居全国之最。每年农历三月，这里举行的庙会热闹非常。

### 李白纪念馆

位于四川省江油市北郊昌明河畔，为纪念唐代大诗人李白而修建。

纪念馆占地3万余平方米，与市内各处李白遗迹紧密相连。主要建筑有太白堂、太白书屋、醉仙楼、李杜亭、望月亭、归来阁、会馆陈列室、珍藏室等建筑群和李太白坐像。园林融合各派之长，独具一格，风光清幽秀美。纪念馆内收集有四千余件文物和展品，包括各代李诗版本和仇英、祝永明、张大千、傅抱石等人的力作。藏品丰富，陈列多样，有李白生平事迹展、历代藏品展、李白诗意画展等。

### 海灯法师武馆

位于江油市昌明河畔太白公园内，因现代著名武术家海灯

江油李白纪念馆

法师生于江油而建。武馆于1988年建成，建筑风格古朴，集轩、室、亭、榭、回廊和演武厅、练武场于一馆，布局严谨、气势宏伟。武馆环境优美，与李白纪念馆隔河相望，占地24亩，是全国规模最大的武馆。

**绵阳**

绵阳位于四川盆地西北部涪江河畔，是一座新兴的工业城市，是川西北地区重要的科研、经济、交通中心。

绵阳古称绵州、涪城，自然风光旖旎，历史古迹繁多。主要景点有富乐山、蒋琬墓等。

**富乐山**

为绵州第一名山，林木苍翠，古道连绵，原名东山。相传汉代仙人李意期曾在此处修炼。富乐山名源于三国时期。据史载：汉建安十六年（公元211年），刘备入蜀，益州牧刘璋在此山迎候。刘备望见富庶的西川，饮酒甚欢，叹曰：“富哉，今日之乐乎！”从此更名为富乐山。

富乐山溪壑清幽、竹修林茂，历代文人雅士多喜游览。宋陆游、清李调元等都曾留下诗文。山上富乐寺建于宋代，存有大量的碑碣、岩刻、诗词、造像等，素有“川西北书法艺术宝库”之称。与之相邻为抗日名将宋哲元墓。

剑门蜀道变通途

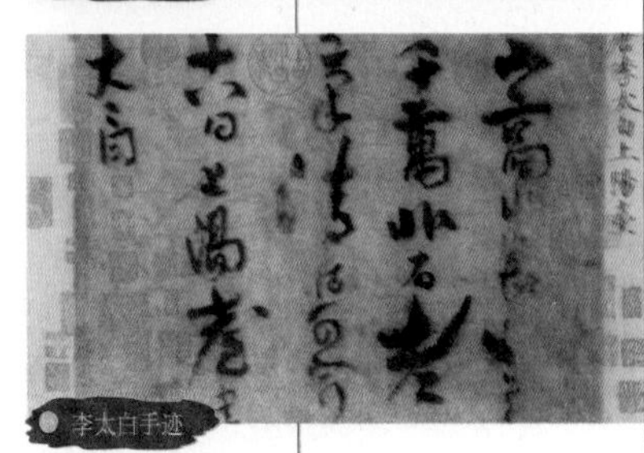

李太白手迹

**蒋琬墓　子云亭**

蒋琬，字公琰，初随刘备入蜀，后封大将军，辅佐刘禅，统兵御魏，曾镇守涪城三年之久。死后葬于涪城西山，陵墓为著名的三国遗迹。墓前有一通高2米的石碑，上书“汉大司马蒋恭侯墓”。墓侧有蒋恭侯祠、蒋琬铜像及安阳亭等。

子云亭位于西山，为纪念西汉文学家杨雄而建。杨雄，字子云，蜀郡成都人，著有《方言》、《太玄》等名篇。子云亭因唐代诗人刘禹锡《陋室铭》中的名句“南阳诸葛庐，西蜀子云亭”而名扬天下。

此！嗟尔远道之人，胡为乎来哉？剑阁峥嵘而崔嵬。一夫当关，万夫莫开。所守或匪亲，化为狼与豺。朝避猛虎，夕避长蛇。磨牙吮血，杀人如麻。锦城虽云乐，不如早还家。蜀道之难难于上青天！侧身西望常咨嗟！

唐·李白

自由人说巴蜀